新 視 野
中華經典文庫

新 視 野
中華經典文庫

孟子

名譽主編 饒宗頤

導讀 黃俊傑

譯注 萬麗華 藍旭

中華書局

新視野中華經典文庫

孟子

□
導讀
黃俊傑

□
譯注
萬麗華　蘭旭

□
出版
中華書局（香港）有限公司
香港北角英皇道 499 號北角工業大廈一樓 B
電話：(852) 2137 2338　傳真：(852) 2713 8202
電子郵件：info@chunghwabook.com.hk
網址：http://www.chunghwabook.com.hk

□
發行
香港聯合書刊物流有限公司
香港新界大埔汀麗路 36 號
中華商務印刷大廈 3 字樓
電話：(852) 2150 2100　傳真：(852) 2407 3062
電子郵件：info@suplogistics.com.hk

□
印刷
深圳中華商務安全印務股份有限公司
深圳市龍崗區平湖鎮萬福工業區

□
版次
2012 年 7 月初版
2020 年 9 月第 4 次印刷

□
規格
大 32 開（205 mm × 143 mm）

□
ISBN：978-988-8148-86-8

出版說明

為甚麼要閱讀經典？道理其實很簡單——經典正正是人類智慧的源泉、心靈的故鄉。也正是因此，在社會快速發展、急劇轉型，因而也容易令人躁動不安的年代，人們也就更需要接近經典、閱讀經典、品味經典。

邁入二十一世紀，隨着中國在世界上的地位不斷提高，影響不斷擴大，國際社會也越來越關注中國，並希望更多地了解中國、了解中國文化。另外，受全球化浪潮的衝擊，各國、各地區、各民族之間文化的交流、碰撞、融和，也都會空前地引人注目，這其中，中國文化無疑扮演着十分重要的角色。相應地，對於中國經典的閱讀自然也就有不斷擴大的潛在市場，值得重視及開發。

於是也就有了這套立足港臺、面向海外的「新視野中華經典文庫」的編寫與出版。希望通過本文庫的出版，繼續搭建古代經典與現代生活的橋樑，引領讀者摩挲經典，感受經典的魅力，進而提升自身品位，塑造美好人生。

本文庫收錄中國歷代經典名著近六十種，涵蓋哲學、文學、歷史、醫學、宗教等各個領域。編寫原則大致如下：

（一）精選原則。所選著作一定是相關領域最有影響、最具代表性、最值得閱讀的經典作品，包括中國第一部哲學元典、被尊為「群經之首」的《周易》，儒家代表作《論語》、《孟子》，道家代表作《老子》、《莊子》，最早、最有代表性的兵書《孫子兵法》，最早、最系統完整的醫學典籍《黃帝內經》，大乘佛教和禪宗最重要的經典《金剛經》、《心經》、《六祖壇經》，中國第一部詩歌總集《詩經》，第一部紀傳體通史《史記》，第一部編年體通史《資治通鑒》，中國最古老的地理學著作《山海經》，中國古代最著名的遊記《徐霞客遊記》，等等，每一部都是了解中國思想文化不可不知、不可不讀的經典名著。而對於篇幅較大、內容較多的作品，則會精選其中最值得閱讀的篇章。使每一本都能保持適中的篇幅、適中的定價，讓普羅大眾都能買得起、讀得起。

（二）尤重導讀的功能。導讀包括對每一部經典的總體導讀、對所選篇章的分篇（節）導讀，以及對名段、金句的賞析與點評。導讀除介紹相關作品的作者、主要內容等基本情況外，尤強調取用廣闊的「新視野」，將這些經典放在全球範圍內、結合當下社會生活，深入挖掘其內容與思想的普世價值，及對現代社會、現實生活的深刻啟示與借鑒意義。通過這些富有新意的解讀與賞析，真正拉近古代經典與當代社會和當下生活的距離。

(三) 通俗易讀的原則。簡明的注釋，直白的譯文，加上深入淺出的導讀與賞析，希望幫助更多的普通讀者讀懂經典，讀懂古人的思想，並能引發更多的思考，獲取更多的知識及更多的生活啟示。

(四) 方便實用的原則。關注當下、貼近現實的導讀與賞析，相信有助於讀者「古為今用」、自我提升；卷尾附錄「名句索引」，更有助讀者檢索、重溫及隨時引用。

(五) 立體互動，無限延伸。配合文庫的出版，開設專題網站，增加朗讀功能，將文庫進一步延展為有聲讀物，同時增強讀者、作者、出版者之間不受時空限制的自由隨性的交流互動，在使經典閱讀更具立體感、時代感之餘，亦能通過讀編互動，推動經典閱讀的深化與提升。

這些原則可以說都是從讀者的角度考慮並努力貫徹的，希望這一良苦用心最終亦能夠得到讀者的認可，進而達致經典普及的目的。

「弘揚中華文化」是中華書局的創局宗旨，二〇一二年又正值創局一百週年，「承百年基業，傳中華文明」，本局理當更加有所作為。本文庫的出版，既是對百年華誕的紀念與獻禮，也是在弘揚華夏文明之路上「傳承與開創」的標誌之一。

需要特別提到的是，國學大師饒宗頤先生慨然應允擔任本套文庫的名譽主編，除表明先生對本局出版工作的一貫支持外，更顯示先生對倡導經典閱讀、關心文化傳承的一片至誠。在此，我們要向饒公表示由衷的敬佩及誠摯的感謝。

倡導經典閱讀，普及經典文化，永遠都有做不完的工作。期待本文庫的出版，能夠帶給讀者不一樣的感覺。

中華書局編輯部

二〇一二年六月

目錄

《孟子》導讀 ○○一
卷一 梁惠王上 ○○七
卷二 梁惠王下 ○三一
卷三 公孫丑上 ○五九
卷四 公孫丑下 ○八三
卷五 滕文公上 一○七
卷六 滕文公下 一二九
卷七 離婁上 一五一
卷八 離婁下 一七七
卷九 萬章上 二○一

卷十　萬章下 ………… 二二三
卷十一　告子上 ………… 二四五
卷十二　告子下 ………… 二七一
卷十三　盡心上 ………… 二九七
卷十四　盡心下 ………… 三二七
名句索引 ………… 三五五

遺編一讀想風標

——《孟子》導讀

黃俊傑

一

孟子（約公元前三七一—前二八九）是中國文化史上一個不屈的靈魂，孟子的思想世界是兩千年來東亞知識分子「永恆的鄉愁」，《孟子》這部經典共三萬四千六百八十五字，是孟子與他的學生及同時代人心靈對話的真實記錄。

在廿一世紀全球化趨勢迅猛發展的新時代裏，孟子的智慧穿越兩千年的歷史長河，仍然強有力召喚着現代讀者進入他的精神世界，與他進行親切的對話，並懷抱現代的問題向孟子叩問廿一世紀的新啟示。

二

孟子說：「頌其詩，讀其書，不知其人可乎？」身處廿一世紀的我們要進入孟子的思想世界，最好的切入點就是本於孟子所說「知人論世」之旨，先了解孟子這個人和他的時代。

孟子是孔子（前五五一－前四七九）之後偉大的儒家聖哲，他深受孔子的啟發，並以孔子的私淑弟子自居，他宣稱「乃所願，則學孔子」，他希望學習的是孔子作為「聖之時者也」的典範。

孟子生於風狂雨驟、歷史扉頁急速翻動的戰國時代（前四〇三－前二二二），他所面對的是飲鴆止渴、追逐權力的國君，目光如豆、助紂為虐的臣子，不顧人命、殺人盈城的武將，以及見利忘義的商人，下層人民則在戰國風雲變幻之中苦於虐政，輾轉呻吟。孟子身處歷史變局之中，深感「上下交征利而國危矣」，他心繫哀苦無告的老百姓，他以「不得已」的心情，奔走呼號，鼓吹各國國君起而踐行「王道」，為人民救難拔苦，登斯民於衽席之上，他致力於創造一個「定於一」的「王道」政治新局面。

孟子面對時代變局展現他強韌不屈的生命特質，他以「當今之世，舍我其誰也」的承擔與氣魄，批判梁襄王「望之不似人君」，斥責那些南征北討的將領應該被處以極刑：「善戰者服上刑」，他也駁斥「楊朱為我，是無君也」，認為墨子鼓吹「兼愛」，是「無父也」。從《孟子》這部將近三萬五千字的經典的字裏行間，我們讀出了孟子所懷抱的不能自已的心靈，也看到了古典中國一個知識分子的人格與風格！

三

在孟子的政治思想世界中，最居核心地位的就是「王道」政治思想。在孟子的論述裏，所謂「王道」與「霸道」相反，施行「王道」的統治者以德服人，以民為本，而「霸道」的統治者則是以力服人，心中沒有人民。在孟子的時代，各國國君猶如賭棧哈的賭徒，汲汲於鞏固權力、擴張領土，至於人民的苦痛則絕不繫於心。孟子痛感戰國時代「霸道」政治之殺人無數，起而遊說各國國君施行「王道」政治，成為「大有為之君」，一統天下。

「王道」政治如何實現呢？孟子為他的時代及後世的國君指出了一條平坦而易行的道路：以「不忍人之心」行「不忍人之政」。孟子堅信：每個人生下來就具有惻隱、羞惡、辭讓、是非四種「心」，他稱之為四種「善端」。孟子說，包括國君在內每一個人只要善自保存並加以「擴充」

（用孟子的話）每個人與生俱來的「善端」或「良知」，就可以興發不忍心，看到他受苦受難的「不忍人之心」，國君只要將這種「不忍人之心」加以「推恩」，加以「擴充」，就可以落實「不忍人之政」，也就是孟子理想中的「仁政」。

四

孟子與東亞各國的儒家知識分子一樣，不僅致力於解釋世界，更有心於改變世界。從上文所說孟子所謂的「不忍人之政」乃以「不忍人之心」為基礎，我們就可以看到孟子思想世界之內外交輝的特質。孟子主張外在的政治秩序只不過是內在的道德秩序的延伸與「擴充」，因為心物合一、內外一如。現代學者當然可以質疑孟子忽略了政治領域的獨立自主性，也可以質疑孟子的政治哲學不免落入「化約論」的困境，但是，孟子「王道」政治論實以他的「性善」論為基礎。孟子堅信：世界的轉化與改變，只有從自己的轉化與改變開始。

因此，孟子與東亞各國儒家學者都非常重視教育，並畢生致力於教育事業。事實上，孟子的教育思想正是他的思想世界中最為重要而精彩的組成部分。

儒家思想傳統中最重要的核心價值理念就是「人之可完美性」。孔子雖然只簡單地提到「性相近，習相遠」，但是，孔子對人性中「自我」的光明面充滿肯定，孔子說：「我欲仁，斯仁至矣」，他肯定人的自由意志與德性自主。孟子更進一步論述人之性善的理論依據，他說：「仁義禮智根於心」，肯定人之道德意識乃由內省而非外爍，每個人只要充分發展生而具有的「良知」、「良能」，就可以成為頂天立地的「大丈夫」。

正因為對於「人之可完美性」的充分肯定，所以孟子主張教育其實就是一種「心靈的喚醒」的過程。孟子主張每個人都有內在的善苗，只要時時加以滋潤，使其茁壯成長，就可以成為成德之君子，因此，所謂「教育」並不是一種由外而內的灌輸，反而是一種內向反省的喚醒的事業。正如孟子所說：「學問之道無他，求其放心而已矣」，教育的目的正是在於找回業已放失的「良知」或「良心」。通過「心」的喚醒與淬煉，孟子主張的教育所要完成的目標，其實就是從每一個人內心深處啟動一種「無聲的革命」。

在廿一世紀全球化與知識經濟快速發展的新時代裏，各級教育之標準化、數量化、商品化趨勢日甚一日，建制化的學校教育訓練所着重是學生畢業後的「可僱用性」（employability），學生也逐漸成為某種具有市場價值的商品，而學校教育也終不能免於淪為某種程度「異化勞動」。在這樣的教育新形勢之中，孟子注重學生內在生命的成長的教育哲學，就好像空谷足音，特別值得珍惜並從其中開發它的現代新啟示。

五

大約一千年前，北宋時代的政治改革家王安石（一〇二一——一〇八六）非常心儀孟子的人格與思想，他醉心於孟子的「大有為」政府的理想，他誦讀《孟子》時曾賦詩云：「沉魄浮魂不可招，遺編一讀想風標」。是的，孟子的人格、風格與思想，二千多年來穿越時空，召喚着東亞各國的知識分子，起而對《孟子》這部經典作出新的詮釋，以因應他們自己的時代所提出來的挑戰與問題。孟子的民本政治理想在近代中國面臨歷史變局的時刻發揮關鍵的作用，康有為等人引用來作為接引西方民主政治的本土思想資源。孟子的「王道」政治理念，在一九二四年十一月二十八日也曾被孫中山引用來告誡明治維新成功後走在歷史十字路口的日本人：揚棄近代西方帝國主義國家的「霸權」文化，而回歸孟子所代表的東方「王道」文化的正軌。

孟子其人雖已遠逝，但是《孟子》這部經典卻為廿一世紀乃至未來的知識分子，開啟一個表面上很遙遠而實際上很親近、表面上很陌生但實踐很熟悉的思想世界。讓我們以崇敬而謙卑的心，從《孟子》這部經典中汲取廿一世紀所需的新智慧！

二〇一二年二月七日於臺灣高雄縣故居

卷一 梁惠王上

本篇導讀——

共七章，除第六章對梁襄王、第七章對齊宣王外，其他各章都是孟子與梁惠王的對話。首章提出「義利之辨」，主張講仁義可使上下有序，否則將人人各求其利而不知足，則國亂而君危。以下各章所記對話，大抵不離「仁政」的話題，包括反對攻伐，發展生產，減輕刑罰賦斂，使老百姓過上豐衣足食的生活，在此基礎上以孝悌之義教導百姓。如此便可以抵禦外侮，並使天下歸服。孟子又指出君王施行仁政的基礎，是天性中固有的「不忍之心」，把它推廣開來，也就是仁政。

孟子見梁惠王[1]。王曰：「叟！不遠千里而來，亦將有以利吾國乎？」

孟子對曰：「王！何必曰利？亦有仁義而已矣。王曰：『何以利吾國？』大夫曰：『何以利吾家？』士庶人曰：『何以利吾身？』上下交征利而國危矣[2]。萬乘（shèng）之國，弒其君者，必千乘之家[3]；千乘之國，弒其君者，必百乘之家。萬取千焉，千取百焉，不為不多矣。苟為後義而先利，不奪不饜（yàn）。未有仁而遺其親者也，未有義而後其君者也。王亦曰仁義而已矣，何必曰利？」

注釋

1 梁惠王：即魏惠王。2 征：取。3 家：卿大夫的采地。

譯文

孟子見梁惠王。王說：「老先生！不遠千里而來，將對我國有利吧？」

孟子回答說：「王！何必講利？只要有仁義就可以了。王說：『怎樣對我國有利？』大夫說：『怎樣對我的封地有利？』士人和老百姓說：『怎樣對我自己有利？』上下交相求利，那國家就危險了。擁有一萬輛兵車的國家，殺掉它的君王的，一定是擁有一千輛兵車的大夫；擁有一千輛兵車的國家，殺掉它的君王的，一定是擁有一百輛兵車的大夫。在一萬輛兵車的國家裏，擁有一千輛兵車，在一千輛兵車的國家裏，擁有一百輛兵車，不算不富有了。但如果把義放在後頭而把利放在前頭，那他不爭奪是不會滿足的。從沒有講仁卻遺棄自己父母的，也沒有講義卻輕慢自己君王的。王只要講仁義就可以了，何必講利？」

賞析與點評

在孟子看來，他所處的時代的最大問題，就是時人（特別是各國國君）眼光短淺，只求近利、私利，因此，開明義利之辨。他的努力為中國知識分子樹立了人格的典範與立身處世的楷模。

孟子見梁惠王。王立於沼上，顧鴻雁麋鹿，曰：「賢者亦樂此乎？」

孟子對曰：「賢者而後樂此，不賢者，雖有此不樂也。《詩》云：『經始靈臺[1]，經之營之，庶民攻之，不日成之。經始勿亟，庶民子來[2]。王在靈囿（yòu）[3]，麀（yōu）鹿攸伏[4]，麀鹿濯濯[5]，白鳥鶴鶴[6]。王在靈沼，於（wū）牣（rèn）魚躍[7]。』文王以民力為臺為沼，而民歡樂之，謂其臺曰靈臺，謂其沼曰靈沼，樂其有麋鹿魚鱉。古之人與民偕樂，故能樂也。《湯誓》曰[8]：『時日害（hé）喪[9]，予及女偕亡。』民欲與之偕亡，雖有臺池鳥獸，豈能獨樂哉？」

注釋

1 經：測量。2 子來：像兒子為父母效勞那樣來幫忙。3 囿：圈養鳥獸的園林。4 麀：母鹿。鹿：指公鹿。5 濯濯：肥碩而有光澤的樣子。6 鶴鶴：羽毛潔白的樣子。7 於：語氣詞，表示歎美。牣：滿。8《湯誓》：《尚書》的篇名，記載商湯伐夏桀的誓師之詞。9 時日：這個太陽，指夏桀。時，這。害：通「曷」，即「何」。

譯文

孟子見梁惠王。王站在池塘邊，看鴻雁麋鹿，說：「賢者也享受這種快樂嗎？」

孟子回答說：「只有賢者才能享受這種快樂，不賢者即使有這些，也無法快樂。《詩經》說：『開始建靈臺，測量又施工，百姓齊動手，很快就落成。王說不着急，百姓更賣力。王到靈囿來，群鹿好自在，群鹿光又肥，白鳥白又亮。王到靈沼來，滿池魚跳躍。』文王借助民力建臺修池，老百姓卻很高興，把那臺叫做靈臺，把那池叫做靈沼，為裏面有麋鹿魚鱉而高興。古人與老百姓同樂，所以能享受快樂。《湯誓》說：『這個太陽何時消滅，我和你一起去死。』老百姓要和他一起去死，縱然他有臺池鳥獸，難道能獨自快活嗎？」

1.3

梁惠王曰：「寡人之於國也，盡心焉耳矣。河內凶，則移其民於河東，移其粟於河內。河東凶亦然。察鄰國之政，無如寡人之用心者。鄰國之民不加少，寡人

之民不加多，何也？」

孟子對曰：「王好戰，請以戰喻。填然鼓之[1]，兵刃既接，棄甲曳兵而走。或百步而後止，或五十步而後止。以五十步笑百步，則何如？」

曰：「不可，直不百步耳，是亦走也。」

曰：「王如知此，則無望民之多於鄰國也。

「不違農時，穀不可勝食也；數罟（cù gǔ）不入洿（wū）池，魚鱉不可勝食也；斧斤以時入山林，材木不可勝用也。穀與魚鱉不可勝食，材木不可勝用，是使民養生喪死無憾也。養生喪死無憾，王道之始也。

「五畝之宅，樹之以桑，五十者可以衣帛矣。雞豚狗彘之畜，無失其時，七十者可以食肉矣。百畝之田，勿奪其時，數口之家可以無飢矣。謹庠（xiáng）序之教，申之以孝悌之義，頒白者不負戴於道路矣。七十者衣帛食肉，黎民不飢不寒，然而不王（wàng）者[2]，未之有也。

「狗彘食人食而不知檢，塗有餓莩（piǎo）而不知發；人死，則曰：『非我也，歲也。』是何異於刺人而殺之，曰：『非我也，兵也。』王無罪歲，斯天下之民至焉。」

注釋

1 塡然：形容擊鼓的聲音。2 王：以仁政統一天下。

譯文

梁惠王說：「我對於國家，費盡心力了呀。河內發生饑荒，我就把當地的百姓遷徙到河東，又把別處的糧食運到河內。河東發生饑荒，也是這樣辦。看鄰國的政治，沒有像我這樣用心的。可是鄰國的百姓沒有減少，我的百姓沒有增加，為甚麼？」

孟子回答說：「王喜歡戰爭，請讓我用戰爭來打比方。戰鼓咚咚一響，雙方兵刃相接，這時就丟了盔甲拖着兵器逃跑。有的跑了一百步停下來，有的跑了五十步停下來。跑了五十步的人笑那些跑了一百步的人，可以嗎？」

王說：「不可以；只不過還沒跑到一百步，但也是逃跑啊。」

孟子說：「王如果懂得這個道理，就別指望百姓多於鄰國了。

「不違背農時，糧食就會多得吃不完；細密的魚網不到大的池沼去捕魚，魚鱉就會多得吃不完；在一定的時候才進山林去伐木，木材就會多得用不完。糧食和魚鱉多得吃不完，木材多得用不完，這就讓老百姓養生送死都沒有甚麼遺憾了。養生送死沒有遺憾，就是王道的開端。

「五畝大的宅園，在裏面種植桑樹，五十歲的人就能穿上絲綿襖了。雞狗和豬等家畜，不擾亂牠們養育的時節，七十歲的人就能吃上肉了。百畝大的農田，不去妨礙農夫適時耕種，幾口人的家庭就可以免於飢餓了。認認真真地辦學校，反覆用孝悌的道理來教導子弟，鬚髮斑白的老人就不必背着或頂着重物在路上行走了。七十歲的人都有絲綿襖穿、有肉吃，老百姓餓不着、凍不着，這樣還不能使天下歸服的，是從沒有過的事。

「狗和豬吃着人的糧食，卻不懂得去制止；路上有人餓死，卻不懂得發放倉庫裏的糧食；人死了，便說：『不是我的緣故，是年成不好的緣故。』這與刺死了人，卻說，『不是我殺的，是兵器殺的』，有甚麼區別？王不要怪罪年成不好，這樣天下的老百姓就都來了。」

1.4

梁惠王曰：「寡人願安承教。」

孟子對曰：「殺人以梃（tǐng）與刃，有以異乎？」

曰：「無以異也。」

「以刃與政，有以異乎？」

曰：「無以異也。」

曰：「庖有肥肉，廄有肥馬，民有飢色，野有餓莩，此率獸而食人也。獸相食，且人惡之；為民父母，行政，不免於率獸而食人，惡（wū）在其為民父母也？仲尼曰：『始作俑者[1]，其無後乎！』為其象人而用之也。如之何其使斯民飢而死也？」

注釋

1 俑：殉葬用的土偶木偶。

譯文

梁惠王說：「我很樂意聽到您的教導。」

孟子回答說：「用木棒打死人和用刀殺死人，有甚麼不同嗎？」

王說：「沒甚麼不同。」

「用刀殺死人和用政治害死人，有甚麼不同嗎？」

王說：「沒甚麼不同。」

孟子說：「廚房裏有肥肉，馬廄裏有肥馬，可是老百姓面有飢色，野外有人餓死，這叫率領禽獸吃人。禽獸自相殘殺，人尚且厭惡牠；做老百姓的父母官，搞政治，不能免於率領禽獸吃人，那又怎麼能做老百姓的父母官？孔子說：『第一個做土偶木偶來殉葬的人，該會斷子絕孫吧！』就因為土偶木偶像人的樣子，卻用它殉葬。對於使老百姓餓死的，又該怎麼辦呢？」

梁惠王曰：「晉國，天下莫強焉，叟之所知也。及寡人之身，東敗於齊，長子死焉；西喪地於秦七百里；南辱於楚。寡人恥之，願比死者壹洒之[1]，如之何則可？」

孟子對曰：「地方百里而可以王。王如施仁政於民，省刑罰，薄稅斂，深耕易耨（nòu）[2]，壯者以暇日修其孝悌忠信，入以事其父兄，出以事其長上，可使制梃以撻秦、楚之堅甲利兵矣。

「彼奪其民時，使不得耕耨以養其父母。父母凍餓，兄弟妻子離散。彼陷溺其民，王往而征之，夫誰與王敵？故曰：『仁者無敵。』王請勿疑！」

注釋 1 比：替，為。壹：全，都。洒：洗。2 易：疾速。耨：鋤草。

譯文 梁惠王說：「晉國，天下沒有比它更強大的國家了，這是老先生所知道的。到了我這時候，東邊敗於齊國，大兒子犧牲了；西邊割地七百里給秦國；南邊又受辱於楚國。我感到恥辱，希望為死者盡洗此恨，要怎麼辦才行？」

孟子回答說：「有縱橫百里的土地就可以行仁政而使天下歸服。王如果向老百姓施行仁政，減輕刑罰，減少賦稅，深耕細作，及早除草；年輕人在閒暇時修養孝順父母、敬愛兄長、忠誠守信的道德，在家便侍奉父兄，在外便侍奉上級，這樣，就算讓他們造木棒也可以抗擊秦國和楚國的堅實盔甲和鋒利兵器了。「別的國家妨礙老百姓適時生產，使他們不能靠耕作來奉養父母。父母飢寒交迫，兄弟妻兒離散。它們使老百姓陷於深淵之中，王去討伐它們，誰能抵抗您？所以說：『仁德的人是無敵的。』王請不要懷疑！」

賞析與點評

施行仁政，必能贏得民眾愛戴，進而上下一心，眾志成城，無人能敵。

1.6

孟子見梁襄王[1]，出，語（yù）人曰：「望之不似人君，就之而不見所畏焉。卒（cù）然問曰：『天下惡乎定？』

「吾對曰：『定於一。』

「『孰能一之？』

「對曰：『不嗜殺人者能一之。』

「『孰能與之？』

「對曰：『天下莫不與也。王知夫苗乎？七八月之間旱[2]，則苗槁矣。天油然作雲，沛然下雨，則苗浡然興之矣。其如是，孰能禦之？今夫天下之人牧，未有不嗜殺人者也。如有不嗜殺人者，則天下之民皆引領而望之矣。誠如是也，民歸之，由水之就下[3]，沛然誰能禦之？』」

注釋

1 梁襄王：梁惠王的兒子。2 七八月：指周曆七八月，相當於夏曆五六月。3 由：通「猶」。

譯文

孟子見梁襄王，出來告訴別人說：「遠遠望去，不像君王，接近他，看不出威嚴。他猛然問我：『天下要怎樣才得安定？』

「我答道：『天下統一就會安定。』

「『誰能統一天下？』

「我答道：『不喜歡殺人的君王就能統一天下。』

「『誰能追隨他？』

「我答道：『天下人沒有不追隨他的。王知道禾苗的情況嗎？七八月之間天旱，禾苗就枯槁了。這時假如天上聚起烏雲，爽快地下一陣雨，禾苗就又旺盛地生長起來了。像這樣，誰能阻擋得住？當今天下的統治者，沒有不喜歡殺人的。如果有不喜歡殺人的，天下的老百姓就都伸長了脖子盼望他了。果真如此，老百姓歸服他，就像水往低處流，那盛大的水勢誰能阻擋得住？』」

賞析與點評

對自己看不起的梁襄王，直斥為「望之不似人君」，表現出孟子剛直的人格與氣概。

1.7

齊宣王問曰：「齊桓、晉文之事，可得聞乎？」

孟子對曰：「仲尼之徒無道桓文之事者，是以後世無傳焉，臣未之聞也。無以，則王乎？」

曰：「德何如則可以王矣？」

曰：「保民而王，莫之能禦也。」

曰：「若寡人者，可以保民乎哉？」

曰：「可。」

曰：「何由知吾可也？」

曰：「臣聞之胡齕（hé）曰，王坐於堂上，有牽牛而過堂下者，王見之，曰：『牛何之？』對曰：『將以釁鐘。』王曰：『舍之！吾不忍其觳觫（hú sù），若

無罪而就死地。』對曰：『然則廢釁鐘與？』曰：『何可廢也？以羊易之！』——

不識有諸？」

曰：「有之。」

曰：「是心足以王矣。百姓皆以王為愛也，臣固知王之不忍也。」

王曰：「然。誠有百姓者。齊國雖褊（biǎn）小，吾何愛一牛？即不忍其觳觫，若無罪而就死地，故以羊易之也。」

曰：「王無異於百姓之以王為愛也。以小易大，彼惡知之？王若隱其無罪而就死地，則牛羊何擇焉？」

王笑曰：「是誠何心哉？我非愛其財，而易之以羊也，宜乎百姓之謂我愛也。」

曰：「無傷也，是乃仁術也，見牛未見羊也。君子之於禽獸也，見其生，不忍見其死；聞其聲，不忍食其肉。是以君子遠庖廚也。」

王說（yuè），曰：「《詩》云：『他人有心，予忖度之。』[1] 夫子之謂也。夫我乃行之，反而求之，不得吾心。夫子言之，於我心有戚戚焉。此心之所以合於王者，何也？」

曰：「有復於王者曰：『吾力足以舉百鈞[2]，而不足以舉一羽；明足以察秋毫之末，而不見輿薪。』則王許之乎？」

曰：「否。」

「今恩足以及禽獸，而功不至於百姓者，獨何與？然則一羽之不舉，為不用力焉；輿薪之不見，為不用明焉；百姓之不見保，為不用恩焉。故王之不王，不為也，非不能也。」

曰：「不為者與不能者之形何以異？」

曰：「挾太山以超北海，語人曰：『我不能。』是誠不能也。為長者折枝，語人曰：『我不能。』是不為也，非不能也。故王之不王，非挾太山以超北海之類也；王之不王，是折枝之類也。

「老吾老，以及人之老；幼吾幼，以及人之幼。天下可運於掌。《詩》云：『刑于寡妻，至于兄弟，以御于家邦。』[3] 言舉斯心加諸彼而已。故推恩足以保四海，不推恩無以保妻子。古之人所以大過人者，無他焉，善推其所為而已矣。今恩足以及禽獸，而功不至於百姓者，獨何與？

「權，然後知輕重；度，然後知長短。物皆然，心為甚。王請度之！

「抑王興甲兵，危士臣，構怨於諸侯，然後快於心與？」

王曰：「否。吾何快於是？將以求吾所大欲也。」

曰：「王之所大欲，可得聞與？」

王笑而不言。

曰：「為肥甘不足於口與？輕暖不足於體與？抑為采色不足視於目與？聲音不足聽於耳與？便嬖（pián bì）不足使令於前與[4]？王之諸臣皆足以供之，而王豈為是哉？」

曰：「否。吾不為是也。」

曰：「然則王之所大欲可知已，欲辟土地，朝秦、楚，蒞中國而撫四夷也。以若所為求若所欲，猶緣木而求魚也。」

王曰：「若是其甚與？」

曰：「殆有甚焉。緣木求魚，雖不得魚，無後災。以若所為求若所欲，盡心力而為之，後必有災。」

曰：「可得聞與？」

曰：「鄒人與楚人戰，則王以為孰勝？」

曰：「楚人勝。」

曰：「然則小固不可以敵大，寡固不可以敵眾，弱固不可以敵強。海內之地方千里者九，齊集有其一。以一服八，何以異於鄒敵楚哉？蓋亦反其本矣[5]。

「今王發政施仁，使天下仕者皆欲立於王之朝，耕者皆欲耕於王之野，商賈皆欲藏於王之市，行旅皆欲出於王之途，天下之欲疾其君者，皆欲赴愬於王。其若是，孰能禦之？」

王曰：「吾惛（hūn），不能進於是矣。願夫子輔吾志，明以教我。我雖不敏，請嘗試之。」

曰：「無恆產而有恆心者，惟士為能。若民，則無恆產，因無恆心。苟無恆心，放辟邪侈，無不為已。及陷於罪，然後從而刑之，是罔民也[6]。焉有仁人在位罔民而可為也？是故明君制民之產，必使仰足以事父母，俯足以畜妻子，樂歲終身飽，凶年免於死亡。然後驅而之善，故民之從之也輕[7]。

「今也制民之產，仰不足以事父母，俯不足以畜妻子；樂歲終身苦，凶年不免於死亡。此惟救死而恐不贍，奚暇治禮義哉？

「王欲行之，則盍反其本矣！五畝之宅，樹之以桑，五十者可以衣帛矣。雞豚狗彘之畜，無失其時，七十者可以食肉矣。百畝之田，勿奪其時，八口之家可以無飢矣。謹庠序之教，申之以孝悌之義，頒白者不負戴於道路矣。老者衣帛食肉，黎民不飢不寒，然而不王者，未之有也。」

注釋　1《詩》云：引詩見《詩經・小雅・巧言》。2 鈞：三十斤為一鈞。3 刑：通「型」，示範。御：治理。引詩出自《詩經．大雅．思齊》，是一首歌頌周文王齊家、治國的詩。4 便嬖：左右親幸者。5 蓋：同「盍」，何不。6 罔：張羅網捕捉。7 輕：輕易。

譯文

齊宣王問道：「齊桓公、晉文公的事，可以讓我聽聽嗎？」

孟子答道：「孔子的弟子沒有講齊桓公和晉文公的事的，所以後代沒有流傳。我也沒聽過。要不然，我講講使天下歸服的王道吧？」

王說：「要有怎樣的道德，才能使天下歸服呢？」

孟子說：「安撫老百姓就可以使天下歸服，這是沒有人能阻擋的。」

王說：「像我這樣的人，可以安撫老百姓嗎？」

孟子說：「可以。」

王說：「怎麼知道我可以呢？」

孟子說：「我聽胡齕說，有一次王坐在堂上，有人牽牛從堂下經過，王看到了，問：『牽牛去哪裏？』那人答道：『要宰了牠祭鐘。』王說：『放了牠！我不忍心看牠哆嗦的樣子，牠沒有罪過卻要進屠場。』那人又答道：『那麼，要廢除祭鐘的儀式嗎？』王說：『怎麼能廢除呢？用隻羊來替代牠！』——不曉得有沒有這回事呢？」

王說：「有的。」

孟子說：「這樣的心腸就足以使天下歸服了。老百姓都以為王是吝嗇呢，我當然明白王是不忍心。」

王說：「是啊。確實有這樣的百姓。齊國雖然狹小，我何至於吝惜一頭牛？只是不忍心看牠哆嗦的樣子，沒有罪過卻要進屠場，所以用羊來替代牠。」

孟子說：「老百姓以為王是吝嗇，您也不必詫異。既然是用小的替代大的，他們哪裏能夠體會您的用心？王如果是憐憫牠無罪而進屠場，那又為甚麼在牛和羊之間取捨呢？」

王笑着說：「真的，這究竟是甚麼心理呢？我並不是吝惜財物，但用羊來替代牛，也難怪百姓以為我是吝嗇了。」

孟子說：「沒關係，這就是仁愛了，因為王只看見牛而沒有看見羊。君子對於禽獸，見過牠活着，就不忍心看牠死去；聽過牠的聲音，就不忍心吃牠的肉。所以君子離廚房遠遠的。」

王高興地說：「《詩經》講：『別人有心事，我來揣摩它。』說的正是您老人家啊。我只是這樣做了，反過來考慮為甚麼這樣，卻不明白自己的內心。您老人家這麼一說，說到我心裏去了。這種心思之所以和王道相合，又是甚麼道理？」

孟子說：「假如有個人向王報告：『我的力氣足夠舉起三千斤，卻拿不起一根羽毛；我的眼力足夠看清楚鳥身上的細毛，卻瞧不見一車柴木。』王能相信嗎？」

王說：「不相信。」

「如今您的恩情足以使禽獸受惠，而您的功績不能使百姓沾光，又是為甚麼呢？這麼說來，拿不起一根羽毛，是因為不肯用力氣；瞧不見一車柴木，是因為不肯用眼睛；老百姓得不到安撫，是因為王不肯施恩。所以王沒有使天下歸服，是不肯做，而不是不能做。」

王說：「不肯做和不能做的情形有甚麼不同？」

孟子說：「胳膊下夾着泰山而越過渤海，告訴人說：『我辦不到。』這是真的不能。為老人折樹枝，告訴人說：『我辦不到。』這是不肯做，不是不能做。因此王沒有使天下歸服，不是胳膊下夾着泰山而越過渤海一類，王沒有使天下歸服，是折樹枝一類。

「尊敬自己的長輩，從而推廣到尊敬別人的長輩；愛護自己的小孩，從而推廣到愛護別人的小孩。只要如此，治理天下就像在手掌裏玩弄東西那麼簡單。《詩經》說：『先給妻子做表率，然後推及於兄弟，從而推廣到封邑國家。』說的無非是把這種好心思推廣到別的方面罷了。所以推廣恩惠足以安撫四海，不推廣恩惠就連妻子兒女也安撫不了。古代的聖賢之所以遠遠超過別人，沒有別的奧妙，只是善於推廣他的善行罷了。如今您的恩情足以使禽獸受惠，而您的功績不能使百姓沾光，又是為甚麼呢？

「稱一稱，才知道輕重；量一量，才知道長短。凡事都是這樣，人心更是如此。王請考慮一下！

「王是不是發動軍隊，危害將士，與諸侯結怨，才覺得心裏痛快呢？」

王說：「不是，我怎麼會為此痛快？我是要滿足我的大慾望。」

孟子說：「王的大慾望可以講出來聽聽嗎？」

王笑着不說話。

孟子說：「是為了肥美的食物不夠吃呢，輕暖的衣服不夠穿呢，還是為了鮮豔的色彩不夠看呢？是為了音樂不夠聽呢，還是侍從不夠使喚呢？這些東西王的手下都足以提供，王難道是為這些嗎？」

王說：「不，我不是為這些。」

孟子說：「那麼，王的大慾望可以曉得了，是想要開拓疆土，使秦國、楚國來上朝稱臣，統治中國而安撫外族。可是按照您的做法來尋求慾望的滿足，就像爬到樹上去捕魚一樣。」

王說：「有這麼嚴重嗎？」

孟子說：「恐怕比這還嚴重呢。爬到樹上去捕魚，儘管得不到魚，還沒甚麼禍患。按照您的做法來尋求慾望的滿足，盡心盡力去做，接着一定有禍患。」

王說：「可以具體地講給我聽聽嗎？」

孟子說：「假如鄒國和楚國交戰，王認為誰會取勝？」

王說：「楚國取勝。」

孟子說：「那麼，可見小的自然敵不過大的，人少的自然敵不過人多的，弱的自然敵不過強的。現在海內的疆土是方圓千里的地九塊，齊國全部的土地加起來只佔其中一塊。以其中之一同其中之八為敵，這和鄒國與楚國為敵有甚麼區別呢？為甚麼不從根本處做起呢？

「現在王如果改革政治，施行仁德，使天下做官的人都想在王的朝廷裏做官，耕田的人都想在王的田地上耕種，做生意的人都想在王的集市上貿易，出行的人都想從王的道路上經過，天下痛恨他們君主的人都想到王這裏來控訴。如果這樣，誰能阻擋？」

王說：「我昏昧不明，不能完全領會這種境地。請老先生輔佐我實現理想，明明白白地教導我。我儘管不聰明，卻願意試一試。」

孟子說：「沒有固定的產業卻有堅定的心志，只有士人能做到。至於老百姓，假如沒有固定的產業，就沒有堅定的心志。假如沒有堅定的心志，就會為非作歹，無所不為。等他們犯了罪，然後處罰他們，這叫陷害百姓。哪有仁德的人在位治國卻做出陷害百姓的事來？所以英明的君王劃定給老百姓的產業，一定要使他們上足以侍奉父母，下足以供養妻兒，好年成天天吃飽，壞年成不至於餓死；然後引導他們向善，於是老百姓都樂於聽從。

「如今劃定給老百姓的產業，上不足以侍奉父母，下不足以供養妻兒；好年成天天受苦，壞年成只有餓死。這種情況下要救活自己還怕來不及，哪有閒工夫學習禮義？

「王如果要施行仁政，為甚麼不從根本處做起：五畝大的宅園，在裏面種植桑樹，五十歲的人就能穿上絲綿襖了。雞狗和豬等家畜，不擾亂牠們養育的時節，七十歲的人就能吃上肉了。百畝大的農田，不去妨礙農夫適時耕種，八口人的家庭就可以免於飢餓了。認認真真地辦學校，反覆用孝悌的道理來教導子弟，鬢髮斑白的老人就不必背着或頂着重物在路上行走了。老人都有絲綿襖穿、有肉吃，老百姓餓不着、凍不着，這樣還不能使天下歸服的，是從沒有過的事。」

賞析與點評

「老吾老，以及人之老；幼吾幼，以及人之幼。」孟子闡述的社會理想，與孔子所講的「人不獨親其親不獨子其子」，可謂一脈相承。「無恆產無恆心。」英明的統治者首先應該設法保護老百姓的利益，使其安居樂業，才不至於鬧到官逼民反。

卷二　梁惠王下

本篇導讀——

共十六章。第一章至第十二章都是與齊宣王的對話，其中有若干章都圍繞「與民同樂」的話題展開。其主旨為不管好樂（音樂）、好財、好色，本身都不算甚麼過錯，怕的是不能節制私慾，殘害人民；反之，如果能推己及人，與民同樂，做到樂民之樂，憂民之憂，那便是足以實現王道的仁政，必將得到人民的擁護。孟子在談到「勇」的問題時，要齊宣王捨棄「小勇」，而學習先王為天下百姓謀福祉的大勇；在談到用人問題時，指出要普遍了解民意，並以民意為準則來識別和選拔人才；在齊、燕發生戰爭而齊國已併吞燕國時，孟子又告誡齊宣王宜順應民心，從燕國撤兵，這些都反映了孟子的民本思想。第八章關於武王伐紂的評論，意謂君王如破壞仁義之道則可殺，其所表達的民貴君輕的傾向尤為鮮明犀利。第十二章至十五章，是與鄒和滕兩個小國君主的對話，從中可見在嚴峻的軍事和外交形勢下，孟子仍堅決主張實行仁政，毫不為現實功利而妥協，在他看來，一時的存亡興廢是不足為懷的，勉力行善，便是盡了人的本分，至於成功與否，卻不是人可以指望的，所以也不必計較。這是對道德具有絕對價值的肯定，也是對人的自由和尊嚴的肯定。

2.1

莊暴見孟子，曰：「暴見於王，王語暴以好樂，暴未有以對也。」曰：「好樂何如？」

孟子曰：「王之好樂甚，則齊國其庶幾乎！」

他日，見於王，曰：「王嘗語莊子以好樂，有諸？」

王變乎色，曰：「寡人非能好先王之樂也，直好世俗之樂耳。」

曰：「王之好樂甚，則齊其庶幾乎！今之樂由古之樂也。」

曰：「可得聞與？」

曰：「獨樂樂，與人樂樂，孰樂？」

曰：「不若與人。」

曰：「與少樂樂，與眾樂樂，孰樂？」

曰：「不若與眾。」

「臣請為王言樂。今王鼓樂於此，百姓聞王鐘鼓之聲，管籥（yuè）之音[1]，舉疾首蹙頞（è）而相告曰：『吾王之好鼓樂，夫何使我至於此極也？父子不相見，兄弟妻子離散。』今王田獵於此，百姓聞王車馬之音，見羽旄（máo）之美[2]，舉疾首蹙頞而相告曰：『吾王之好田獵，夫何使我至於此極也？父子不相見，兄弟妻子離散。』此無他，不與民同樂也。

「今王鼓樂於此，百姓聞王鐘鼓之聲，管籥之音，舉欣欣然有喜色而相告曰：『吾王庶幾無疾病與，何以能鼓樂也？』今王田獵於此，百姓聞王車馬之音，見羽旄之美，舉欣欣然有喜色而相告曰：『吾王庶幾無疾病與，何以能田獵也？』此無他，與民同樂也。今王與百姓同樂，則王矣。」

注釋

1 管籥：古代吹奏樂器。2 羽旄：代指旗幟。

譯文

莊暴來見孟子，說：「我去拜見齊宣王，宣王對我說他喜愛音樂，我不知該怎樣回答他。」接着又說：「喜愛音樂好不好呢？」

孟子說：「王如果十分喜愛音樂，齊國就能治理得差不多了。」

過些日子，孟子拜見齊王，說：「王曾經告訴莊暴，說您喜愛音樂，有這事嗎？」

王變了臉色，說：「我還不能喜愛古代的音樂，只是喜愛世俗的流行音樂罷了。」

孟子說：「王如果十分喜愛音樂，齊國就能治理得差不多了！不論是當代的音樂還是古代的音樂都是一樣的。」

王說：「可以說給我聽聽嗎？」

孟子說：「自己一人欣賞音樂是快樂的，與別人一起欣賞也是快樂的，哪一種更快樂呢？」

王說：「不如和別人一起欣賞更快樂。」

孟子說：「和少數人一起欣賞音樂是快樂的，和多數人一起欣賞也是快樂的，哪一種更快樂呢？」

王說：「不如和多數人一起欣賞更快樂。」

孟子說：「請讓我為王談談欣賞音樂的道理。

「假如現在王在這裏奏樂，老百姓聽到王的鐘鼓、管籥的聲音，都感到頭疼，皺着鼻樑，互相議論說：『我們的王喜愛音樂，為甚麼使我們苦到了極端？父子不能相見，兄弟妻兒離散。』假如現在王在這裏打獵，老百姓聽到王的車馬的聲音，看到美麗的旗幟，都感到頭疼，皺着鼻樑，互相議論說：『我們的王喜愛打獵，為甚麼使我們苦到了極端？父子不能相見，兄弟妻兒離散。』這沒有別的原因，只因不與老百姓一起享受快樂。假如現在王在這裏奏樂，老百姓聽到王的鐘鼓、管籥的聲音，都高高興興，面帶喜色地互相議論說：『我們的王大概沒甚麼疾病吧，否則怎麼能奏樂呢？』假如現在王在這裏打獵，老百姓聽到王的車馬的聲音，看到美麗的旗幟，都高高興興，面帶喜色地互相議論說：『我們的王大概沒甚麼疾病吧，否則怎麼能打獵呢？』這沒有別的原因，只因能與老百姓一起享受快樂。如果王能與老百姓一起享受快樂，就可以使天下歸服了。」

2.2

齊宣王問曰：「文王之囿方七十里，有諸？」

孟子對曰：「於傳有之。」

曰：「若是其大乎？」

曰：「民猶以為小也。」

曰：「寡人之囿方四十里，民猶以為大，何也？」

曰：「文王之囿方七十里，芻蕘（ráo）者往焉[1]，雉兔者往焉，與民同之。民以為小，不亦宜乎？臣始至於境，問國之大禁，然後敢入。臣聞郊關之內，有囿方四十里，殺其麋鹿者，如殺人之罪。則是方四十里為阱於國中，民以為大，不亦宜乎？」

注釋

1 芻蕘：指割草砍柴的人。芻，割草。蕘，砍柴。

譯文

齊宣王問道：「文王的園林縱橫七十里，有這事嗎？」

孟子答道：「文獻上有記載。」

齊宣王說：「有這樣大嗎？」

孟子說：「老百姓還以為太小了。」

齊宣王說：「我的園林縱橫四十里，老百姓還以為太大，為甚麼？」

孟子說：「文王的園林縱橫七十里，割草砍柴的去那裏，捕鳥打兔子的也去那裏，與百姓共用。老百姓以為太小，不也是應該的嗎？我剛到齊國的國境，先打聽國家的嚴重禁令，然後才敢進入。我聽説郊區的門內有園林縱橫四十里，如果有人殺掉裏面的麋鹿，就同殺人一樣治罪，那麼這是在國內設一口縱橫四十里的陷阱，老百姓以為太大了，不也是應該的嗎？」

2.3

齊宣王問曰：「交鄰國有道乎？」

孟子對曰：「有。惟仁者為能以大事小，是故湯事葛[1]，文王事昆夷[2]。惟智者為能以小事大，故太王事獯鬻（xūn yù）[3]，勾踐事吳。以大事小者，樂天者也；

以小事大者，畏天者也。樂天者保天下，畏天者保其國。《詩》云：『畏天之威，于時保之。』」

王曰：「大哉言矣！寡人有疾，寡人好勇。」

對曰：「王請無好小勇。夫撫劍疾視，曰：『彼惡敢當我哉！』此匹夫之勇，敵一人者也。王請大之！

「《詩》云：『王赫斯怒，爰整其旅，以遏徂莒[4]，以篤周祜（hù）[5]，以對於天下。』此文王之勇也。文王一怒而安天下之民。

「《書》曰：『天降下民，作之君，作之師。惟曰其助上帝寵之。四方有罪無罪惟我在，天下曷敢有越厥志？』一人衡行於天下[6]，武王恥之。此武王之勇也。而武王亦一怒而安天下之民。今王亦一怒而安天下之民，民惟恐王之不好勇也。」

注釋

1 葛：商的鄰國。2 昆夷：又作「混夷」，周朝初年的西戎國名。3 獯鬻：即獫狁（xiǎn yǔn），當時北方的少數民族。4 以遏徂莒：遏，阻止。莒，《詩經》作「旅」，指密人入侵阮和共的部隊。5 篤：厚，指增添。祜：福。以上引詩見《詩經．大雅．皇矣》。6 一人：指商紂王。

譯文

齊宣王問道：「與鄰國交往有講究嗎？」

孟子答道：「有。只有仁愛的人能以大國服事小國，所以商湯服事葛伯，文王服事昆夷。只有聰明的人能以小國服事大國，所以太王服事獯鬻，勾踐服事吳王。以大國服事小國的，是樂安天命的人；以小國服事大國的，是敬畏天命的人。樂安天命者保有天下，敬畏天命者保有自己的國家。《詩經》說：『敬畏上天的威嚴，於是保有這國家。』」

王說：「高明啊這話！我有個毛病，我喜愛勇武。」

孟子答道：「王請不要喜愛小勇。按劍瞪眼說道：『他怎敢阻擋我呢！』這是匹夫的勇，只能敵得住一個人。王請把它擴大。

「《詩經》說：『文王勃然大怒，於是整肅部隊，阻止不義之師，增添周人福祉，來報答天下仰望之心。』這是文王的勇。文王一發怒而安定天下人民。

「《尚書》說：『上天降生了民眾，又為他們降生君王，又為他們降生師傅，他們只是幫助天帝愛護人民。四方之內，有罪的我去征討，無罪的我來愛護，責任都在我一人，天下有誰敢越過本分為非作歹？』有一個人橫行於天下，武王以為奇恥大辱。這是武王的勇。武王也是一發怒而安定天下人民。假如現在王也是一發怒而安定天下人民，人民惟恐王不喜愛勇武呢。」

齊宣王見孟子於雪宮[1]。王曰：「賢者亦有此樂乎？」

孟子對曰：「有。人不得，則非其上矣。不得而非其上者，非也；為民上而不與民同樂者，亦非也。樂民之樂者，民亦樂其樂；憂民之憂者，民亦憂其憂。樂以天下，憂以天下，然而不王者，未之有也。

「昔者齊景公問於晏子曰：『吾欲觀於轉附、朝儛（wǔ）[2]，遵海而南，放於琅邪，吾何修而可以比於先王觀也？』

「晏子對曰：『善哉問也！天子適諸侯曰巡狩。巡狩者，巡所守也。諸侯朝於天子曰述職。述職者，述所職也。無非事者。春省耕而補不足，秋省斂而助不給。夏諺曰：「吾王不遊，吾何以休？吾王不豫[3]，吾何以助？一遊一豫，為諸侯度。」今也不然，師行而糧食，飢者弗食，勞者弗息。睊（juàn）睊胥讒[4]，民乃作慝（tè）[5]。方命虐民，飲食若流。流連荒亡，為諸侯憂。從流下而忘反，謂之流；從流上而忘反，謂之連；從獸無厭謂之荒；樂酒無厭謂之亡。先王無流連之樂，荒亡之行。惟君所行也。』

「景公悅，大戒於國，出舍於郊，於是始興發補不足。召大（tài）師曰：『為我作君臣相說之樂！』蓋《徵（zhǐ）招》、《角招》是也[6]。其《詩》曰：『畜君何尤？』畜君者，好君也。」

注釋

1 雪宮：齊宣王的行宮。2 轉附、朝儛：均為山名。轉附，疑即今芝罘山；朝儛，疑即今召石山，在山東榮城東。3 豫：出遊。4 睊睊胥讒：忿恨地互相埋怨。睊睊，因忿恨而側目相視的樣子。5 慝：惡。6《徵招》、《角招》：徵、角，古代五音（宮、商、角、徵、羽）中的兩個；招，通「韶」。

譯文

齊宣王在雪宮接見孟子。王說：「賢者也有這種快樂嗎？」

孟子答道：「有。人們得不到這種快樂，就非議他們的君王。得不到快樂而非議君王，是不對的；作為老百姓的君王而不能與百姓一同享受快樂，也是不對的。為老百姓的快樂而快樂，老百姓也為他的快樂而快樂；為老百姓的憂愁而憂愁，老百姓也為他的憂愁而憂愁。樂是因天下而樂，憂是因天下而憂，這樣還不能使天下歸服，是從來沒有的事。

「從前齊景公向晏子問道：『我想到轉附山、朝儛山去轉轉，沿海向南，直到琅邪山，我該怎麼辦才能同古代聖王的出遊相比？』

「晏子答道：『問得好啊！天子到諸侯國去，叫做巡狩。巡狩，就是巡視諸侯所守的疆土。諸侯來朝見天子，叫做述職。述職，就是報告本職工作。沒有不是正事的。春天就考察耕作的情況而補助貧困者，秋天就考察收穫的情況而補助收成不足者。夏代的諺語說：「我王不出來走走，我怎能得到休息？我王不出來轉轉，我怎能得到補助？我王走走又轉轉，這是諸侯的法度。」如今卻不是這樣，而是興師動眾，聚斂糧食，飢餓的人吃不上飯，勞苦的人得不到休息。人們側目而視，怨聲載道，老百姓於是犯上作亂。這樣的出遊既違背天意又虐待人民，大吃大喝如同流水。流連荒亡，使諸侯為之憂慮。任隨自己到下游去玩樂，快活起來便忘了返回，叫做流；任隨自己到上游去玩樂，快活起來便忘了返回，叫做連；放肆地打獵而沒有節制，叫做荒；任性地飲酒而沒有節制，叫做亡。古代的聖王沒有流連的快樂、荒亡的行為。請您考慮該怎麼辦吧。』

「景公聽了很高興，在國內作了很多準備，接着駐紮郊外，於是開倉發糧，賑濟貧民。景公又叫來太師，說：『為我創作君臣相悅的音樂！』這就是《徵招》和《角招》。歌詞裏說：『畜君有甚麼不對呢？』畜君，就是愛戴君王的意思。」

2.5

齊宣王問曰：「人皆謂我毀明堂[1]，毀諸？已乎？」

孟子對曰：「夫明堂者，王者之堂也。王欲行王政，則勿毀之矣。」

王曰：「王政可得聞與？」

對曰：「昔者文王之治岐也[2]，耕者九一[3]，仕者世祿，關市譏而不徵[4]，澤梁無禁[5]，罪人不孥（nú）[6]。老而無妻曰鰥，老而無夫曰寡，老而無子曰獨，幼而無父曰孤。此四者，天下之窮民而無告者。文王發政施仁，必先斯四者。《詩》云：『哿（kě）矣富人[7]，哀此煢（qióng）獨。』」

王曰：「善哉言乎！」

曰：「王如善之，則何為不行？」

王曰：「寡人有疾，寡人好貨。」

對曰：「昔者公劉好貨[8]，《詩》云：『乃積乃倉，乃裹餱（hóu）糧，于橐（tuó）于囊[9]。思戢用光[10]。弓矢斯張，干戈戚揚[11]，爰方啟行』。故居者有積倉，行者有裹囊也，然後可以爰方啟行。王如好貨，與百姓同之，於王何有？」

王曰：「寡人有疾，寡人好色。」

對曰：「昔者太王好色[12]，愛厥妃。《詩》云：『古公亶父，來朝走馬，率西水滸，至於岐下，爰及姜女[13]，聿來胥宇[14]。』當是時也，內無怨女，外無曠夫。王如好色，與百姓同之，於王何有？」

注釋

1 明堂：古代帝王宣明政教的場所，凡朝會、祭祀等重大典禮都在明堂舉行。2 岐：地名，在今陝西岐山一帶。3 耕者九一：指井田制。九百畝的地，分為井字形的九區，每區各一百畝，外沿八百畝為私田，每戶各受田百畝。中間一百畝為公田，由八戶共同耕種，此即九分抽一的稅率，是孟子以為最理想的土地制度。4 **譏而不徵**：只管檢查言行而不抽稅。譏，檢查言行。徵，徵稅。5 **澤梁**：捕魚的裝置。6 **孥**：本意是妻子、兒女，這裏指不連累妻子、兒女。7 **哿**：可。8 **公劉**：周人創業的始祖，后稷的曾孫。9 **槖**：無底的口袋。**囊**：有底的口袋。10 **思**：發語詞。**戢**：和睦。**用**：因而。**光**：光大。11 **干**：盾。**戈**：平頭戟。**戚**：斧。**揚**：舉起。12 **太王**：即古公亶父，公劉的十世孫，周文王的祖父。13 **姜女**：姜姓女子，指古公亶父的妻子太姜。14 **聿來胥宇**：指修建宮室之前察看地勢。聿，語助詞。胥，察看。宇，屋宇。

譯文

齊宣王問道：「別人都讓我拆掉明堂，是拆了好呢，還是不拆好？」

孟子答道：「明堂，是王的殿堂。您如果要施行王政，就不要拆掉它了。」

王說：「甚麼是王政，可以講給我聽嗎？」

孟子答道：「從前周文王治理岐地，農夫的稅率是九分抽一，做官的世代享有俸祿，關卡和市場上只維持秩序而不抽稅，到湖泊池塘裏捕魚不受禁止，處罰犯罪的人不連累他的妻兒。年老而沒有妻室的叫做鰥，年老而沒有丈夫的叫做寡，年老而沒有兒女的叫做獨，年幼而沒有父親的叫做孤。這四種人，是天下最窮苦而沒有依靠的人。文王發佈政令施行仁義，一定首先考慮他們。《詩經》說：『富人可以過得去了，哀憐這些孤單的人。』」

王說：「說得好啊，這話！」

孟子說：「王如果認為這話說得好，為甚麼不照着做？」

王說：「我有個毛病，我愛錢財。」

孟子答道：「從前公劉也愛錢財，《詩經》說：『積存穀糧到倉裏，包好乾糧存起來，橐裏囊裏全裝滿。人心和順揚光輝。張開弓來搭上箭，盾牌戈斧舉起來，於是出發向前進。』因此，居留在家的有倉裏的貯糧，行軍的有囊裏的乾糧，然後才能『於是出發向前進』。王假如愛錢財，就和百姓一道，那麼，使天下歸服又有甚麼困難呢？」

王說：「我有個毛病，我好色。」

孟子說：「從前太王也好色，疼愛他的妃子。《詩經》說：『古公亶父，一早就趕馬出發，沿着豳西的水邊，來到岐山的腳下，於是連同姜氏女，察看蓋房的地形。』在這個時候呢，沒有嫁不出去的姑娘，沒有找不着老婆的男人。王假如好色，就和老百姓一道，那麼，使天下歸服又有甚麼困難呢？」

孟子謂齊宣王曰：「王之臣有託其妻子於其友而之楚遊者，比其反也，則凍餒其妻子，則如之何？」

王曰：「棄之。」

曰：「士師不能治士，則如之何？」

王曰：「已之。」

曰：「四境之內不治，則如之何？」

王顧左右而言他。

譯文

孟子對齊宣王說：「王有個臣子，把妻兒託付給他的朋友，自己到楚國去了，等他回來時，妻兒卻在捱餓受凍，對這個朋友該怎麼辦？」

王說：「和他絕交。」

孟子說：「獄官不能管好他的下級，對他該怎麼辦？」

王說：「撤掉他。」

孟子說：「一個國家治理不好，該怎麼辦？」

王左右張望，把話題扯開了。

孟子見齊宣王，曰：「所謂故國者，非謂有喬木之謂也，有世臣之謂也。王無親臣矣，昔者所進，今日不知其亡也。」

王曰：「吾何以識其不才而舍之？」

曰：「國君進賢，如不得已，將使卑逾尊，疏逾戚，可不慎與？左右皆曰賢，未可也；諸大夫皆曰賢，未可也；國人皆曰賢，然後察之。見賢焉，然後用之。左右皆曰不可，勿聽；諸大夫皆曰不可，勿聽；國人皆曰不可，然後察之。見不可焉，然後去之。左右皆曰可殺，勿聽；諸大夫皆曰可殺，勿聽；國人皆曰可殺，然後察之。見可殺焉，然後殺之。故曰國人殺之也。如此，然後可以為民父母。」

譯文

孟子見齊宣王，說：「所謂『故國』，不是有喬木的意思，而是有累世勳臣的意思。王連親信的臣都沒有了，從前所進用的，今天不知到哪裏去了。」

王說：「我怎麼辨別一個人沒有才能而捨棄不用呢？」

孟子說：「國君進用賢臣，如果碰到不得已的情況，會使卑賤者位居尊貴者之上，疏遠者位居親近者之上，對此可以不謹慎嗎？左右親近的人都說好，不可立刻舉用；各位大夫都說好，不可立刻舉用；全國的人都說好，然後考察他。發現他真好，然後舉用他。左右親近的人都說不可用，不要聽；各位大夫都說不可用，不要聽；全國的人都說不可用，然後考察他。發現他真不可用，然後罷免他。左右親信都說可殺，不要聽；各位大夫都說可殺，不要聽；全國的人都說可殺，然後考察他。發現他真可殺，然後殺他。所以說這是全國的人殺他的。這樣，才可以做百姓的父母。」

2.8

齊宣王問曰：「湯放桀，武王伐紂，有諸？」

孟子對曰：「於傳有之。」

曰：「臣弒其君，可乎？」

曰：「賊仁者謂之『賊』，賊義者謂之『殘』。殘賊之人，謂之『一夫』。聞誅一夫紂矣，未聞弒君也[1]。」

注釋

1 誅、弒：殺。誅是褒義詞，指合乎正義地殺；弒是貶義詞，一般用於臣下殺死君王或兒女殺死父母。

譯文

齊宣王問道：「商湯流放夏桀，武王討伐商紂，有這事嗎？」

孟子答道：「文獻有記載。」

齊宣王說：「臣子殺掉他的君主，可以嗎？」

孟子說：「破壞仁的叫做『賊』，破壞義的叫做『殘』。殘賊的人，叫做『獨夫』。我只聽過周武王殺掉一夫紂呀，可沒聽過他殺掉了君主哦。」

賞析與點評

孟子反覆申論的是「民眾主體性」的概念，極力消除「統治者主體性」的意識，強調要以民眾的好惡為好惡，以民眾的依歸為政權轉移的標準。

2.9

孟子見齊宣王曰：「為巨室，則必使工師求大木。工師得大木，則王喜，以為能勝其任也。匠人斲（zhuó）而小之，則王怒，以為不勝其任矣。夫人幼而學之，壯而欲行之，王曰：『姑舍女（rǔ）所學而從我』，則何如？今有璞玉於此，雖萬鎰（yì）[1]，必使玉人雕琢之。至於治國家，則曰：『姑舍女所學而從我』，則何以異於教玉人雕琢玉哉？」

注釋

1 鎰：二十兩為一鎰。

譯文

孟子對齊宣王說：「建造巨大的宮室，就一定要派工師去找大木料。工師找到大木料，王就高興，認為他能勝任。工匠把這木料砍小了，王就動怒，以為他不能勝任。有那麼一種人，從小學習一種本事，長大後要把它來實踐，王說：『姑且扔掉你所學的，聽從我』，這可怎麼辦呢？假如現在這裏有一塊璞玉，就算它價值二十萬兩，您一定會讓玉匠雕琢它。至於治理國家，卻說：『姑且扔掉你所學的，聽從我』，這同教導玉匠雕琢玉石又有甚麼區別呢？」

2.10

齊人伐燕，勝之。宣王問曰：「或謂寡人勿取，或謂寡人取之。以萬乘之國伐萬乘之國，五旬而舉之，人力不至於此。不取，必有天殃。取之，何如？」

孟子對曰：「取之而燕民悅，則取之。古之人有行之者，武王是也[1]。取之而燕民不悅，則勿取。古之人有行之者，文王是也[2]。以萬乘之國伐萬乘之國，簞（dān）食壺漿以迎王師[3]，豈有他哉？避水火也。如水益深，如火益熱，亦運而已矣[4]。」

注釋

1 武王是也：指武王伐紂，取商之地而享有天下。2 文王是也：指文王三分天下有其二，卻仍臣服於商。3 簞：盛飯的竹筐。4 運：轉換。

譯文

齊國攻打燕國，大獲全勝。宣王問道：「有人勸我不要吞併燕國，有人勸我吞併它。以一個擁有萬輛兵車的大國去攻打同樣是萬輛兵車的大國，五十天內便打下它，光憑人力是不能如此的。不吞併的話，一定會有天災。吞併它，怎樣？」

孟子答道：「吞併它而燕國的百姓高興的話，就吞併。古人有這樣做的，周武王就是。吞併它而燕國的百姓不高興的話，就不要吞併。古人有這樣做的，周文王就是。以一個擁有萬輛兵車的大國去攻打同樣是萬輛兵車的大國，老百姓用簞盛着飯，用壺盛着酒漿來迎接王的軍隊，難道有別的原因嗎？只是要逃避水火一般的統治而已。假如水更深了，假如火更熱了，那也不過是換個人來統治罷了。」

2.11

齊人伐燕，取之。諸侯將謀救燕。宣王曰：「諸侯多謀伐寡人者，何以待之？」

孟子對曰：「臣聞七十里為政於天下者，湯是也。未聞以千里畏人者也。《書》曰：『湯一征[1]，自葛始。』天下信之，東面而征，西夷怨；南面而征，北狄怨，曰：『奚為後我？』民望之，若大旱之望雲霓也。歸市者不止，耕者不變，誅其君而

吊其民，若時雨降，民大悅。《書》曰：『徯（xī）我后，后來其蘇。』今燕虐其民，王往而征之，民以為將拯己於水火之中也，簞食壺漿以迎王師。若殺其父兄，係累其子弟，毀其宗廟，遷其重器，如之何其可也？天下固畏齊之強也，今又倍地而不行仁政，是動天下之兵也。王速出令，反其旄（mào）倪，止其重器，謀於燕眾，置君而後去之，則猶可及止也。」

注釋

1 一征：始征，初征。

譯文

齊國攻打燕國，吞併了它。其他諸侯國謀劃救助燕國。宣王說：「諸侯國多有謀劃來攻打我，要怎麼對待他們？」

孟子答道：「我聽說過憑藉縱橫七十里的土地就能在天下實行統治，商湯就是。沒聽說過憑藉縱橫一千里的土地來使天下畏懼的。《尚書》說：『湯的征伐，從葛國開始。』天下人都信任他，當他向東面征伐時，西邊各族的百姓就抱怨；當他向南面征伐時，北邊各族的百姓就抱怨，說：『怎麼把我們放在後面？』老百姓盼望他，就像大旱時盼望烏雲虹霓一樣。湯的征伐，一點也不驚擾百姓，做生意的照樣行商，種莊稼的照樣下地，湯殺掉暴君而撫恤百姓，就像降了及時雨，老百姓很高興。《尚書》說：『等着我們的王，王來了我們就復活。』如今燕國虐待它的百姓，您前往征討，老百姓以為您將把他們從水火中拯救出來，於是用簞盛着飯，用壺盛着酒漿來迎接您的部隊。可是您卻殺掉他們的父兄，捆綁他們的子弟，毀壞他們的宗廟，搬走他們的寶器，這怎麼行呢？天下人本來就害怕齊國強大，如今齊國又增加了一倍的土地卻不實行仁政，這就是驚動天下軍隊與您作對的原因。王趕快下命令，讓老少俘虜回家，停止搬運寶器，與燕國的群眾計議，擇立一位燕王，然後自己從燕國撤出，這樣還來得及使各國停止用兵。」

鄒與魯鬨。穆公問曰：「吾有司死者三十三人，而民莫之死也。誅之，則不可勝誅；不誅，則疾視其長上之死而不救，如之何則可也？」

孟子對曰：「凶年饑歲，君之民老弱轉乎溝壑，壯者散而之四方者，幾千人矣；而君之倉廩實，府庫充，有司莫以告，是上慢而殘下也。曾子曰：『戒之戒之！出乎爾者，反乎爾者也。』夫民今而後得反之也。君無尤焉！君行仁政，斯民親其上，死其長矣。」

譯文

鄒國和魯國交戰。鄒穆公問道：「我的官吏死了三十三人，而老百姓沒有人為保護他們而死。殺吧，殺不過來；不殺吧，又恨他們看着長官死掉而不去營救，怎麼辦才好呢？」

孟子答道：「災荒年歲，您的老百姓中年老體弱的輾轉死於溝壑，年輕力壯的四散逃荒，幾乎有千把人；而您的糧倉殷實，庫房充足，有關官吏不把這種情況向上報告，這就是身居上位的人怠慢而殘害百姓。曾子說：『警惕啊警惕！你怎樣對別人，別人就怎樣回報你。』老百姓如今可得到報復的機會了。您不要責備他們吧！只要您實行仁政，老百姓就會親近他們的上級，為他們的長官死難了。」

2.13

滕文公問曰：「滕，小國也，間於齊、楚。事齊乎？事楚乎？」

孟子對曰：「是謀非吾所能及也。無已，則有一焉：鑿斯池也，築斯城也，與民守之，效死而民弗去，則是可為也。」

譯文

滕文公問道：「滕，是個小國，處在齊國和楚國之間。是服事齊國呢，還是服事楚國呢？」

孟子答道：「這種策略不是我能想出來的。非說不可的話，倒有一個辦法：把護城河鑿深，把城牆築牢，與老百姓一起守衛它，寧肯犧牲，老百姓也不肯離開，這就有希望了。」

2.14

滕文公問曰：「齊人將築薛，吾甚恐，如之何則可？」

孟子對曰：「昔者大王居邠（bīn）[1]，狄人侵之，去，之岐山之下居焉。非擇而取之，不得已也。苟為善，後世子孫必有王者矣。君子創業垂統，為可繼也。若夫成功，則天也。君如彼何哉？強為善而已矣。」

注釋

1 大：同「太」。邠：同「豳」，在今陝西旬邑西。

譯文

滕文公問道：「齊國人要在薛地加固城牆，我很擔心，怎麼辦才可以？」

孟子答道：「從前太王住在邠，狄人侵犯他，他便離開，遷到岐山下去住。這並不是主動選擇住在那裏，是不得已的。可見如果實行仁政，後代子孫一定有成為天下之王的。君子創立基業，奠定傳統，正是為了可以被繼承下去。至於成功與否，還要看天命。您能對齊人怎樣呢？只有勉力實行仁政而已。」

2.15

滕文公問曰：「滕，小國也。竭力以事大國，則不得免焉，如之何則可？」

孟子對曰：「昔者大王居邠，狄人侵之。事之以皮幣，不得免焉；事之以犬馬，不得免焉；事之以珠玉，不得免焉。乃屬其耆（qí）老而告之曰：『狄人之所欲者，吾土地也。吾聞之也：君子不以其所以養人者害人。二三子何患乎無君？我將去之。』去邠，逾梁山，邑於岐山之下居焉。邠人曰：『仁人也，不可失也。』從之者如歸市。或曰：『世守也，非身之所能為也。』效死勿去。君請擇於斯二者。」

譯文

滕文公問道：「滕，是個小國。竭盡全力來服事大國，也躲不過禍患，要怎麼辦才行？」

孟子答道：「從前太王住在邠，狄人侵犯他。太王進獻獸皮和絲帛服事他，躲不過禍患；進獻狗和馬服事他，躲不過禍患；進獻珍珠美玉服事他，躲不過禍患。於是召集當地的老人，告訴他們：『狄人想要的，是我們的土地。我聽說過：君子不把那些生養人的東西用來害人。你們何必擔心沒有君主呢？我準備離開這裏。』於是他離開邠地，越過梁山，在岐山下建造城邑住下來。邠地的老百姓說：『他是有仁德的人啊，不能失去他。』跟隨他的人多得就像趕集一樣。也有人說：『這是我們應該世世代代守衛的土地，不是自己可以做主的。』他們寧死而不離開。請您在這兩種情形中擇取一種吧。」

2.16

魯平公將出，嬖（bì）人臧倉者請曰：「他日君出，則必命有司所之。今乘輿已駕矣，有司未知所之，敢請！」

公曰：「將見孟子。」

曰：「何哉！君所為輕身以先於匹夫者，以為賢乎？禮義由賢者出，而孟子之後喪逾前喪，君無見焉！」

公曰：「諾。」

樂正子入見[1]，曰：「君奚為不見孟軻也？」

曰：「或告寡人曰：『孟子之後喪逾前喪[2]。』是以不往見也。」

曰：「何哉？君所謂逾者，前以士，後以大夫；前以三鼎，而後以五鼎與[3]？」

曰：「否。謂棺槨（guǒ）衣衾之美也[4]。」

曰：「非所謂逾也，貧富不同也。」

樂正子見孟子曰：「克告於君，君為來見也。嬖人有臧倉者沮（zǔ）君，君是以不果來也。」

曰：「行，或使之；止，或尼之。行止，非人所能也。吾之不遇魯侯，天也。臧氏之子焉能使予不遇哉？」

注釋

1 樂正子：名克，孟子弟子。2 後喪、前喪：孟子先喪父，後喪母；後喪指母親的喪事，前喪指父親的喪事。3 三鼎：用三個鼎盛供品。五鼎：用五個鼎盛供品。辦喪事時用三鼎是士禮，用五鼎是卿大夫之禮。4 棺：內棺。槨：外棺。衣衾：裝殮死者的衣被。

譯文

魯平公正要出門，他所寵倖的小臣臧倉請示說：「平日您外出，一定是先通知管事的人要去哪裏。現在車馬已準備好了，管事的人還不知道您要去哪裏，因此來請示。」

魯平公說：「我要去見孟子。」

臧倉說：「您降低自己的身份去見一個普通人，為甚麼呢？您以為他是賢人嗎？禮義是由賢人做出表率的，而孟子為母親辦喪事比為父親辦喪事還隆重。您不要去見他了吧！」

魯平公說：「好吧。」

樂正子來見魯平公，說：「您為甚麼不見孟軻了？」

魯平公說：「有人告訴我，『孟子為母親辦喪事的隆重超過了父親的喪事』，所以我不去見他了。」

樂正子說：「您所說的『超過』是甚麼意思呢？是因為辦父親的喪事用士禮，辦母親的喪事用大夫之禮嗎？是因為辦父親的喪事用三個鼎擺設供品，辦母親的喪事用五個鼎擺設供品嗎？」

魯平公說：「不是，我指的是棺槨衣衾的精美。」

樂正子說：「這不能叫做『超過』，只是前後貧富不同罷了。」

樂正子去見孟子，說：「我跟君主講過了，君主打算來見您。有個受寵的小臣臧倉阻止了他，因此他終於沒來。」

孟子說：「人要做事，是有人促使他做；不做事，是有人阻止他做。不過做或不做，並不是人力所能主宰。我與魯侯不能遇合，是天命。那個姓臧的怎能使我不遇？」

卷三 公孫丑上

本篇導讀——

共九章，從內容上可以大致分為兩組。其一、三、四、五是一組，論述仁政的問題。這部分對於當時各諸侯國的暴政有所揭露，並認為這樣的形勢正是推行仁政的大好時機，因為必能得到人民的熱烈擁護，從而實現統一天下的「王道」；與此相反的「霸道」，則是靠武力征服，那是不能使人心悅誠服的。至於仁政的具體措施，在第五章裏提出了五項政策，大意是尊賢使能、減免賦稅、實行井田制。另一組則論及個人修養以及人性論方面的問題，包括其二、六、七、八、九各章。第二章從「不動心」說起，最後涉及對孔子的評價，是《孟子》一書中極重要的篇幅。所謂「不動心」，指的是不因處境、待遇等外部條件的變化而改變心態，達到這種境界的兩個環節，一是「知言」，二是培養「浩然之氣」。「知言」是思想認識能力的表現，「浩然之氣」儘管是一種正大剛毅的道德情感，仍然是道義原則指導下的日積月累的道德實踐的成果。知言則不惑，氣盛則意志堅定，所以是「不動心」的條件。第六章提出的「四端説」，意謂仁、義、禮、智等品質在人的天性中有其基礎，集中概括了孟子在人性問題上的主張。七、八兩章，分別談到「反求諸己」和「與人為善」的修養方法。

3.1

公孫丑問曰：「夫子當路於齊，管仲、晏子之功，可復許乎[1]？」

孟子曰：「子誠齊人也，知管仲、晏子而已矣。或問乎曾西曰[2]：『吾子與子路孰賢？』曾西蹴（cù）然曰：『吾先子之所畏也。』曰：『然則吾子與管仲孰賢？』曾西艴（fú）然不悅[3]，曰：『爾何曾比予於管仲？管仲得君，如彼其專也，行乎國政，如彼其久也，功烈如彼其卑也，爾何曾比予於是？』」曰：「管仲，曾西之所不為也，而子為我願之乎？」

曰：「管仲以其君霸，晏子以其君顯。管仲、晏子猶不足為與？」

曰：「以齊王，由反手也[4]。」

曰：「若是，則弟子之惑滋甚。且以文王之德，百年而後崩，猶未洽於天下。武王、周公繼之，然後大行。今言王若易然，則文王不足法與？」

曰：「文王何可當也？由湯至於武丁，賢聖之君六七作，天下歸殷久矣，久則難變也。武丁朝諸侯有天下，猶運之掌也。紂之去武丁未久也，其故家遺俗，流風善政，猶有存者。又有微子、微仲、王子比干、箕子、膠鬲（gé）——皆賢人也——相與輔相之，故久而後失之也。尺地，莫非其有也；一民，莫非其臣也；然而文王猶方百里起，是以難也。齊人有言曰：『雖有智慧，不如乘勢；雖有鎡基[5]，不如待時。』今時則易然也。夏后、殷、周之盛，地未有過千里者也，而齊有其地矣。雞鳴狗吠相聞，而達乎四境，而齊有其民矣。地不改辟矣[6]，民不改聚矣，行仁政而王，莫之能禦也。且王者之不作，未有疏於此時者也；民之憔悴於虐政，未有甚於此時者也。飢者易為食，渴者易為飲。孔子曰：『德之流行，速於置郵而傳命。』當今之時，萬乘之國行仁政，民之悅之，猶解倒懸也。故事半古之人，功必倍之，惟此時為然。」

注釋　1 許：期待。2 曾西：曾申，字子西，曾參之子。3 艴然：生氣的樣子。4 由：通「猶」。5 鎡基：鋤頭。6 改：更加。

譯文　公孫丑問道：「先生如果在齊國當權，管仲、晏子的功業，有希望再次實現嗎？」孟子說：「你果然是齊國人，只懂得管仲、晏子。曾有人問曾西說：『您和子路相比，誰更賢能些？』曾西不安地說：『他是先父所敬畏的人呀。』那人又問：『那麼您和管仲相比，誰更賢能些？』曾西變了臉色，很不高興地說：『你怎麼能拿我和管仲相比？管仲得到他的君王的信任是那樣專一，行使國家的政權是那樣長久，功業卻是那樣卑微，你怎麼能拿我和他相比？』」孟子又接着說：「管仲，是曾西所不屑的，你以為我願意學他嗎？」

公孫丑說：「管仲輔佐其君而稱霸，晏子輔佐其君而揚名。管仲、晏子還不值得學嗎？」

孟子說：「以齊國來統一天下，易如反掌。」

公孫丑說：「您這麼說，我更糊塗了。以文王的賢德，活了將近一百歲，還不能統一天下；武王、周公繼承他的事業，然後才大大地推行王道。現在您把統一天下說得這麼容易，那麼文王也不值得效法嗎？」

孟子說：「文王，我怎麼能比得上呢？從湯到武丁，賢聖的君王有六七個，天下歸附於商久了，久了就難以改變。武丁使諸侯來朝貢，統治天下，就像玩弄於手掌之上那麼輕而易舉。紂離武丁不久，先王時的世家貴族、美好習俗、醇厚民風、仁惠政教，還有所留存；又有微子、微仲、王子比干、箕子、膠鬲——都是些賢人——在共同輔佐他，所以很久才亡國。當時，沒有一尺土地不被他所有，沒有一個人不是他的臣民；然而文王僅以縱橫百里的土地建功立業，所以是很困難的。齊國人有句話說：『即使有智慧，不如乘形勢；即使有農具，不如待農時。』現在的時勢推行王道可就好辦了：在夏、商、周最強大的時候，疆土還沒有超過縱橫千里的，而現在齊國有這麼大的疆土了。雞鳴狗吠的聲音互相聽得見，一直到四周的邊境，現在齊國有這麼多的百姓了。疆土不必再擴張，百姓不必再增加，只需推行仁政就能統一天下，誰也阻擋不住啊。況且仁義的君王沒有出現，這是從來不曾像現在這樣稀缺的；老百姓被暴政所殘害，從來不曾像現在這樣嚴重的。飢餓的人，可以很容易地讓他吃飽；口渴的人，可以很容易地讓他喝足。孔子說：『賢德的推廣，比驛站傳達命令還要快。』現在這年頭，擁有萬輛兵車的國家推行起仁政來，老百姓必然愛戴它，就像倒掛的人被解救一樣。所以只要做到古人一半的事情，功業就會比古人多出一倍，只有這年頭才能如此。」

3.2

公孫丑問曰：「夫子加齊之卿相，得行道焉，雖由此霸王，不異矣。如此，則動心否乎？」

孟子曰：「否！我四十不動心。」

曰：「若是，則夫子過孟賁遠矣[1]。」

曰：「是不難，告子先我不動心[2]。」

曰：「不動心有道乎？」

曰：「有。北宮黝之養勇也，不膚撓[3]，不目逃，思以一豪挫於人，若撻之於市朝，不受於褐寬博，亦不受於萬乘之君；視刺萬乘之君，若刺褐夫，無嚴諸侯，惡聲至，必反之。孟施舍之所養勇也，曰：『視不勝猶勝也；量敵而後進，慮勝而後會，是畏三軍者也。舍豈能為必勝哉？能無懼而已矣。』孟施舍似曾子，北宮黝似子夏。夫二子之勇，未知其孰賢，然而孟施舍守約也。昔者曾子謂子襄曰：『子好勇乎？吾嘗聞大勇於夫子矣[4]。自反而不縮，雖褐寬博，吾不惴焉；自反而縮，雖千萬人，吾往矣。』孟施舍之守氣，又不如曾子之守約也。」

曰：「敢問夫子之不動心與告子之不動心，可得聞與？」

「告子曰：『不得於言，勿求於心；不得於心，勿求於氣。』不得於心，勿求於氣，可；不得於言，勿求於心，不可。夫志，氣之帥也；氣，體之充也。夫志至焉，氣次焉；故曰：『持其志，無暴其氣。』」

「既曰『志至焉，氣次焉』，又曰『持其志，無暴其氣』，何也？」

曰：「志壹則動氣，氣壹則動志也。今夫蹶者趨者，是氣也，而反動其心。」

「敢問夫子惡乎長？」

曰：「我知言，我善養吾浩然之氣。」

「敢問何謂浩然之氣？」

曰：「難言也。其為氣也，至大至剛，以直養而無害，則塞於天地之間。其為氣也，配義與道。無是，餒也。是集義所生者，非義襲而取之也。行有不慊（qiè）於心，則餒矣。我故曰：告子未嘗知義，以其外之也。必有事焉而勿正，心勿忘，勿助長也。無若宋人然：宋人有閔其苗之不長而揠（yà）之者，芒芒然歸，謂其人曰：『今日病矣！予助苗長矣！』其子趨而往視之，苗則槁矣。天下之不助苗長者寡矣。以為無益而舍之者，不耘苗者也；助之長者，揠苗者也，非徒無益，而又害之。」

「何謂知言？」

曰：「詖（bì）辭知其所蔽，淫辭知其所陷，邪辭知其所離，遁辭知其所窮。生於其心，害於其政；發於其政，害於其事。聖人復起，必從吾言矣。」

「宰我、子貢善為說辭，冉牛、閔子、顏淵善言德行，孔子兼之，曰：『我於辭命，則不能也。』然則夫子既聖矣乎？」

曰：「惡！是何言也！昔者子貢問於孔子曰：『夫子聖矣乎？』孔子曰：『聖則吾不能，我學不厭，而教不倦也。』子貢曰：『學不厭，智也；教不倦，仁也。

仁且智，夫子既聖矣乎。』夫聖，孔子不居，是何言也！」

「昔者竊聞之：子夏、子游、子張皆有聖人之一體，冉牛、閔子、顏淵則具體而微。敢問所安？」

曰：「姑舍是。」

曰：「伯夷、伊尹何如？」

曰：「不同道。非其君不事，非其民不使；治則進，亂則退，伯夷也。何事非君，何使非民；治亦進，亂亦進，伊尹也。可以仕則仕，可以止則止，可以久則久，可以速則速，孔子也。皆古聖人也，吾未能有行焉。乃所願，則學孔子也。」

「伯夷、伊尹於孔子，若是班乎[5]？」

曰：「否！自有生民以來，未有孔子也。」

「然則有同與？」

曰：「有。得百里之地而君之，皆能以朝諸侯，有天下；行一不義，殺一不辜，而得天下，皆不為也。是則同。」

曰：「敢問其所以異。」

曰：「宰我、子貢、有若，智足以知聖人，污不至阿其所好。宰我曰：『以予觀於夫子，賢於堯、舜遠矣！』子貢曰：『見其禮而知其政，聞其樂而知其德，由百世之後，等百世之王[6]，莫之能違也[7]。自生民以來，未有夫子也！』有若曰：『豈惟民哉？麒麟之於走獸，鳳凰之於飛鳥，太山之於丘垤（dié），河海之於行潦（lǎo），類也。聖人之於民，亦類也。出於其類，拔乎其萃，自生民以來，未有盛於孔子也！』」

注釋

1 孟賁：古代勇士。2 告子：名不害，與孟子同時代而年長於孟子，曾受教於墨子。3 撓：退卻。4 夫子：指孔子。5 班：等同。6 等：指分出等次。7 違：指違背「見其禮而知其政，聞其樂而知其德」的規律。子貢在此處強調了評價依據的可靠性，因此使下文對於孔子的讚歎更有說服力。

譯文

公孫丑問道：「先生如果做了齊國的卿相，得以推行自己的主張，即使成就了霸王的事業，也是不奇怪的。如果這樣，您會動心嗎？」

孟子說：「不。我四十歲以後就不再動心了。」

公孫丑說：「這麼說，先生比孟賁強多了。」

孟子說：「這不難，告子還比我先做到不動心呢。」

公孫丑說：「不動心有辦法嗎？」

孟子說：「有。北宮黝培養勇氣的辦法是，肌膚被刺也不顫動發抖，眼睛被戳也能目不轉睛，他認為受到一點點侮辱，就像在集市上被鞭打一樣。既不受卑賤者的侮辱，也不受大國之君的侮辱。在他看來，刺殺大國之君，和刺殺卑賤者是一樣的。他不畏懼諸侯王。有人罵他，他一定回擊。孟施舍培養勇氣呢，是說：『我把不能取勝的形勢看成可以取勝。如果先估量敵人的力量才前進，考慮到可以取勝才交戰，這是害怕敵人的三軍。我孟施舍怎能戰無不勝，只是能夠無所畏懼而已。』孟施舍像曾子，北宮黝像子夏。這兩個人的勇氣，不曉得誰更強，然而孟施舍所守的較能抓住關鍵。從前曾子對子襄說：『你喜歡勇敢嗎？我曾經從先生那裏聽過甚麼是大勇：自我反省而發現正義不在我，那麼即使是卑賤的人，我也不去恐嚇他；自我反省而認為正義在我，即使面對千軍萬馬，我也勇往直前。』孟施舍所守的是一身盛氣，曾子卻能有所反省，循理而動，所以孟施舍又不如曾子所守的關鍵。」

公孫丑說：「請問先生的不動心，和告子的不動心，可以說給我聽嗎？」

孟子說：「告子講過：『言語有過失，不必到內心去尋求原因；心中有所不安，不必求助於意氣。』心中有所不安，不必求助於意氣，是可以的；言語有過失，不必到內心去尋求原因，卻不可以。思想意志呢，是感情意氣的統帥；感情意氣是充滿體內的力量。思想意志到哪裏，感情意氣就跟着到哪裏。所以說：『要堅定自己的思想意志，也不要濫用感情意氣。』」

公孫丑說：「既然說『思想意志到哪裏，感情意氣就跟着到哪裏』，又說『要堅定自己的思想意志，也不要濫用感情意氣』，為甚麼呢？」

孟子說：「思想意志專一，就能調動感情意氣跟隨它，感情意氣專一，也會影響思想意志。比方說跌倒、奔跑，這是下意識的氣有所動，但也能反過來擾動心志。」

公孫丑說：「請問先生的長處是甚麼？」

孟子說：「我懂得辨析言辭，我善於培養我的浩然之氣。」

公孫丑說：「請問甚麼叫做浩然之氣？」

孟子說：「難以講清楚啊。它作為一種氣，是最強大、最剛健的，用正義來培養它而不加傷害，就能充塞於天地之間。它作為一種氣，是合乎義和道的；沒有這個，它就疲弱了。它是日積月累的正義所生長出來的，而不是正義偶然從外而入所取得的。所作所為有一件不能讓心意滿足，它就疲弱了。所以我說，告子不懂得義，就因為他把義當作外在的東西。浩然之氣的養成，一定要有所作為而不中止，心裏不要忘記它，但也不要有意地幫助它。不要像那個宋國人一樣。宋國有個擔心禾苗長不快而把它拔高的人，非常疲倦地回去，告訴他的家人說：『今天累壞了，我幫助禾苗長高了。』他的兒子跑過去看，禾苗都枯槁了。天底下不揠苗助長的人少見啊。說到浩然之氣，以為培養無益而放棄的，是不為禾苗除草的人；有意幫助它生長的，是拔苗的人。不僅無益，而且有害。」

公孫丑說：「怎樣才算『懂得辨析言辭』？」

孟子說：「偏頗的言辭，知道它在哪一方面被遮蔽而不明事理；過分的言辭，知道它耽溺於甚麼而不能自拔；邪僻的言辭，知道它違背了甚麼道理而乖張不正；搪塞的言辭，知道它在哪裏理屈而終於辭窮。言辭的過失產生於思想認識，危害於政治；把它體現於政令措施，就會危害具體工作。如果聖人復生，一定會贊同我的話。」

公孫丑說：「宰我、子貢善於說話，冉牛、閔子、顏淵善於闡述德行。孔子兼而有之，但他又說：『我對於辭令是不擅長的。』那麼先生您已經是聖人了吧？」

孟子說：「呦！這是甚麼話呀？從前子貢問孔子道：『先生是聖人了吧？』孔子說：『聖人，我做不到，我只是學習而不知滿足，教育而不知疲倦。』子貢說：『學習而不知滿足，是明智；教育而不知疲倦，是仁愛。明智而且仁愛，先生已經是聖人了！』聖人，連孔子都不願自居，你說的是甚麼話呀！」

公孫丑說：「以前我聽說：子夏、子游、子張都有某一方面得到孔子真傳，冉牛、閔子、顏淵則全面地得到孔子真傳但氣象比孔子小些。請問您自居於哪一種人？」

孟子說：「暫且不談這個。」

公孫丑說：「伯夷、伊尹怎麼樣？」

孟子說：「與孔子不同。不是他理想的君主，他不服事；不是他理想的百姓，他不使喚；天下太平就進取，天下大亂就退隱，這是伯夷。服事不理想的君主有甚麼關係，使喚不理想的百姓有甚麼關係；天下太平也進取，天下大亂也進取，這是伊尹。可以做官就做官，可以不做就不做，可以長久留任就長久留任，可以迅速離任就迅速離任，這是孔子。都是古代的聖人，我沒有一樣能做到；要說願望的話，我願學孔子。」

公孫丑說：「伯夷、伊尹和孔子不是一樣的嗎？」

孟子說：「不。自從有人類以來，還沒有像孔子那樣的。」

公孫丑說：「那麼他們有相同之處嗎？」

孟子說：「有。如果得到縱橫百里的土地而做君王，他們都能使諸侯來朝覲而統一天下；做一件不義的事，殺一個無辜的人因而得到天下，他們都不幹。這就是他們的相同之處。」

公孫丑說：「請問他們又有甚麼不同呢？」

孟子說：「宰我、子貢、有若的聰明足以了解孔子，即使他們不好，也不至於偏袒他們所喜愛的人。宰我說：『憑我對先生的觀察，他比堯、舜強多了。』子貢說：『看某時某地的禮制，就可以了解它的政治狀況；聽某時某地的音樂，就可以了解它的道德風氣。從百代以後，去評價百代以來的君王，沒有人能違背這個規律而有所隱蔽。我認為自從有人類以來，還沒有像先生那樣的人。』有若說：『難道只是人有高下之分嗎？麒麟對於走獸，鳳凰對於飛鳥，泰山對於土堆，河海對於積水，都算是同類。聖人對於人，也是同類。突出於所屬的類，超拔於所屬的群，自從有人類以來，還沒有比孔子更偉大的。』」

賞析與點評

孟子和他的弟子都以真實的生命相見，以人生的正道共勉。公孫丑與孟子關於「知言養氣」問題的討論，是《孟子》全書中一場意蘊深刻的心靈對話。孟子提出了一個重要的思想命題——人的生命是一個整體的實存物，人的各個面向都是互相關連、互相影響，甚至是互相完成的。他提出的「浩然正氣」是思想史上的一個重要的里程碑。在孟子的理想中，作為原始生命的「氣」並非只具有經驗世界的資質而已，它是可以被轉化的；這種轉化是一種工夫的修養過程。經過「養氣」、「存心」的工夫修養，原始生物意義下的「氣」，便轉而接受「道德心」的指導，「生理人」與「道德人」互相滲透，互相影響，終至形成一個和諧統一的生命型態。

「所願，則學孔子也」；「自生民以來，未有盛於孔子也」。孟子與孔子，雖然在性格與處世態度上有不小差距，但孟子非常敬仰孔子，稱其為「聖之時者」，並由衷地表示「所願，則學孔子也」，視孔子為最高的人格典範。

3·3

孟子曰：「以力假仁者霸，霸必有大國；以德行仁者王，王不待大。湯以七十里，文王以百里。以力服人者，非心服也，力不贍也；以德服人者，中心悅而誠服也，如七十子之服孔子也。《詩》云：『自西自東，自南自北，無思不服。』[1]此之謂也。」

注釋

1 思：語助詞。

譯文

孟子說：「倚仗實力，假借仁義之名而統一天下的叫做『霸』，要稱霸，一定得有強大的國力；依靠道德，推行仁義而統一天下的叫做『王』，要稱王，不一定得有強大的國家。商湯憑藉的僅是縱橫七十里的土地，文王憑藉的僅是縱橫百里的土地。倚仗實力來使人服從的，並不是真心服從，只不過力量不足相敵罷了；依靠道德來使人服從的，卻是心悅誠服，就像七十個弟子服從孔子一樣。《詩經》說：

『從西從東，從南從北，無不心悅誠服。』說的就是這個意思。」

賞析與點評

孟子認為，政治領域乃道德領域的延伸，其間的分野很難截然分開，所以孟子主張「王」天下的先決條件是以「德」行。

3·4

孟子曰：「仁則榮，不仁則辱。今惡辱而居不仁，是猶惡濕而居下也。如惡之，莫如貴德而尊士，賢者在位，能者在職。國家閒暇，及是時，明其政刑。雖大國，必畏之矣。《詩》云：『迨天之未陰雨，徹彼桑土，綢繆（móu）牖（yǒu）戶[1]。今此下民，或敢侮予。』孔子曰：『為此詩者，其知道乎！能治其國家，誰敢侮之？』今國家閒暇，及是時，般（pán）樂怠敖[2]，是自求禍也。禍福無不自己求之者。《詩》云：『永言配命[3]，自求多福。』《太甲》曰[4]：『天作孽，猶可違。自作孽，不可活。』此之謂也。」

注釋

1 綢繆：纏結。牖戶：窗門。這裏指巢穴洞口。2 般：樂。怠：怠惰。敖：出遊。

3 言：語助詞，無義。4《太甲》：《尚書》篇名。

譯文

孟子說：「實行仁政就有榮耀，不行仁政就會受辱。如今是厭惡受辱卻自處於不仁之地，這就像厭惡潮濕而自處於低窪之地一樣。如果厭惡它，不如崇尚道德而尊重士人，使有德行的人處在合適的官位，使有才能的人擔任一定的職務。國家沒有內憂外患，趁着這個時候，修明政令刑法。即使是大國，也一定會畏懼它。《詩經》說：『趁着天還沒下雨，快取那桑根的皮，結牢靠巢穴的口。從此樹下的人們，有誰還敢欺侮我。』孔子說：『寫這詩的人，懂得道理呀！能治理好自己的國家，誰還敢欺侮他？』如今國家無內憂外患，趁着這時候，遊樂怠惰，這是自己找禍患。禍與福無不是自己找的。《詩經》說：『長久配合天命，自己尋求多福。』《太甲》說：『天降的災難還可以躲避，自找的災難那可活不了。』說的就是這個意思。」

3·5

孟子曰：「尊賢使能，俊傑在位，則天下之士皆悅，而願立於其朝矣；市，廛（chán）而不徵[1]，法而不廛，則天下之商皆悅，而願藏於其市矣；關，譏而不徵，則天下之旅皆悅，而願出於其路矣；耕者，助而不稅，則天下之農皆悅，而願耕於其野矣；廛[2]，無夫里之布[3]，則天下之民皆悅，而願為之氓（méng）矣[4]。信能行此五者，則鄰國之民仰之若父母矣。率其子弟，攻其父母，自有生民以來未有能濟者也。如此，則無敵於天下。無敵於天下者，天吏也。然而不王者，未之有也。」

注釋

1 廛：公家所建供商人租用的貨倉。這裏指抽取貨倉稅。徵：抽取貨物稅。2 廛：這裏指民居。3 夫里之布：指夫布和里布。因故不能服徭役者，需出錢雇役，雇役錢叫做夫布；宅有空地而不種植桑麻，由國家抽取懲罰性的地稅，叫做里布。4 氓：僑民。

譯文

孟子說：「尊重有德行的人，任用有才能的人，優異傑出的人處於官位，那麼，天下的士人都會高興，而樂意在他的朝廷做官了；做生意的，只抽取貨倉稅而不徵貨物稅，或竟連貨倉稅也不收，那麼，天下的商人都會高興，而樂意把貨物存放在他的市場上了。關卡，只稽查而不徵稅，那麼天下旅行的人都會高興，而樂意從他的道路經過了。種田的人，只需助耕公田而不徵地稅，那麼天下的農夫都高興，而樂意在他的田野上耕種了。人們居住的地方，不收雇役錢和懲罰性地稅，那麼，天下的老百姓都會高興，而樂意到那裏僑居了。一個君王如果能實行這五項措施，那麼鄰國的老百姓就會仰望他像仰望父母一樣了。率領子女，來攻打他們的父母，這種事情自從有人類以來，沒有能夠成功的。這樣，就能無敵於天下。無敵於天下的人，就是天所派遣的官吏。這樣還不能統一天下的，還從來沒有過。」

‖3.6

孟子曰：「人皆有不忍人之心。先王有不忍人之心，斯有不忍人之政矣。以不忍人之心，行不忍人之政，治天下可運之掌上。所以謂人皆有不忍人之心者，今人乍見孺子將入於井，皆有怵（chù）惕惻隱之心，非所以內交於孺子之父母也，非所以要譽於鄉党朋友也，非惡其聲而然也。由是觀之，無惻隱之心，非人也；無羞惡之心，非人也；無辭讓之心，非人也；無是非之心，非人也。惻隱之心，仁之端也；羞惡之心，義之端也；辭讓之心，禮之端也；是非之心，智之端也。人之有是四端也，猶其有四體也。有是四端而自謂不能者，自賊者也；謂其君不能者，賊其君者也。凡有四端於我者，知皆擴而充之矣，若火之始然[1]，泉之始達。苟能充之，足以保四海；苟不充之，不足以事父母。」

注釋

1 然：同「燃」。

譯文

孟子說：「人都有憐恤別人的心情。先王有憐恤別人的心情，這才有憐恤別人的政治。憑着憐恤別人的心情，施行憐恤別人的政治，治理天下就像在手掌上玩弄東西那樣簡單。之所以說人都有憐恤別人之心的原因是，現在有人忽然看見小孩子快要掉到井裏去，都有驚駭、同情的心情，這並不是為了和小孩子的父母攀交情，不是為了在鄉里朋友間博取聲譽，也不是因為厭惡那小孩子的哭聲才這樣的。由此看來，沒有同情之心，不算人；沒有羞恥之心，不算人；沒有退讓之心，不算人；沒有是非之心，不算人。同情之心，是仁的萌芽；羞恥之心，是義的萌芽；退讓之心，是禮的萌芽；是非之心，是智的萌芽。人有這四種萌芽，就如同他有四肢。有這四種萌芽而自稱不能行善的人，是自己殘害自己的人；說他的君王不能行善的人，是殘害君王的人。凡是有這四種萌芽在身上的人，就該懂得把它們都擴充起來，就像火開始燃燒，泉水開始流出。如果能夠擴充它們，就足以安撫天下；如果不能擴充它們，就連父母都侍奉不了。」

賞析與點評

「心」是孟子論政的基點。他在遊說各國國君時，也曾討論政治制度的問題，但許多時候卻將政治問題化約為「心性」問題。不過，孟子所說的「心」並非只是作為生理器官的心，也非如心理學家研究的「感性之心」，而是具有價值意識的道德心。

3·7

孟子曰：「矢人豈不仁於函人哉[1]？矢人唯恐不傷人，函人唯恐傷人。巫匠亦然。故術不可不慎也。孔子曰：『里仁為美。擇不處仁，焉得智？』夫仁，天之尊爵也，人之安宅也。莫之禦而不仁，是不智也。不仁、不智，無禮、無義，人役也。人役而恥為役，由弓人而恥為弓[2]，矢人而恥為矢也。如恥之，莫如為仁。仁者如射，射者正己而後發；發而不中，不怨勝己者，反求諸己而已矣。」

注釋

1 函人：造鎧甲的人。函，鎧甲。2 由：通「猶」。

譯文

孟子說：「造箭的人難道比造鎧甲的人本性殘忍嗎？造箭的人唯恐不能傷害人，造鎧甲的人唯恐傷害人。巫醫和木匠也是這樣。所以選擇職業不可不慎重。孔子說：『同仁共處是好的。自己選擇而不自處於仁，怎能說是明智的？』仁哪，是天設的最尊貴的爵位，是人最安穩的宅居。沒有人能阻擋，這樣還不仁，這就是不智了。不仁、不智，無禮、無義，這就是被他人所奴役。被人奴役卻恥於服役，就好比造弓的人卻恥於造弓，造箭的人卻恥於造箭。如果確實以為恥辱，不如實行仁。實行仁，就好比射箭，射箭的人先端正自己的姿勢然後才發射；發射而沒有射中，不埋怨勝過自己的人，只要反過來找自己的問題就行了。」

3.8

孟子曰：「子路，人告之以有過，則喜。禹，聞善言，則拜。大舜有大焉[1]，善與人同，舍己從人，樂取於人以為善。自耕稼、陶、漁以至為帝，無非取於人者。取諸人以為善，是與人為善者也。故君子莫大乎與人為善。」

注釋

1 有：通「又」。

譯文

孟子說：「子路，別人指出他的過錯，他就高興。禹，聽到好的言論，就給人行禮。大舜更加了不起，他把善當作人所共用，捨棄自己的不足，學習別人的長處，樂於吸取別人的優點來完善自己。從他種田、做瓦器、打魚一直到做天子，沒有一個時候不是從別人那裏吸取優點。吸取別人的優點來完善自己，這就是同別人一起行善。所以君子最了不起的就是同別人一起行善。」

3.9

孟子曰：「伯夷，非其君不事，非其友不友。不立於惡人之朝，不與惡人言。立於惡人之朝，與惡人言，如以朝衣朝冠坐於塗炭。推惡惡之心，思與鄉人立[1]，其冠不正，望望然去之，若將浼（měi）焉。是故諸侯雖有善其辭命而至者，不受也。不受也者，是亦不屑就已[2]。柳下惠不羞污君，不卑小官；進不隱賢，必以其道；遺佚而不怨，阨窮而不憫。故曰：『爾為爾，我為我，雖袒裼（xī）裸裎於我側，爾焉能浼我哉？』故由由然與之偕而不自失焉，援而止之而止。援而止之而止者，是亦不屑去已。」孟子曰：「伯夷隘，柳下惠不恭。隘與不恭，君子不由也。」

注釋

1 思：語助詞，無義。2 不屑：不以……為潔。屑，潔。

譯文

孟子說：「伯夷，不是他理想的君主，不去服事；不是他理想的朋友，不去結交。不在壞人的朝廷做官，不同壞人講話；在壞人的朝廷做官，同壞人講話，就像穿着上朝的禮服，戴着上朝的禮帽坐在泥土和炭灰上。他把厭惡壞人的心情擴充開來，於是，同鄉下人站在一起，假如那人帽子不正，他就羞愧地避開，好像會弄髒了自己似的。因此諸侯儘管有好言好語來請他做官，他也不接受。他不接受，這是因為他以為接近他們就不乾淨了。柳下惠不以服事污濁的君主為羞愧，不以當小官為卑微；入朝做官，不隱藏他的賢能，一定依照他的原則辦事；被棄不用，他不埋怨，處境困窮，他不發愁。所以他說：『你是你，我是我，即使在我身邊赤身露體，你怎麼能玷污我呢？』因此他能高高興興地與任何人相處而不喪失自己，讓他留下他就留下。讓他留下他就留下，這是因為他不把避開當作高潔。」

孟子又說：「伯夷氣量小，柳下惠不嚴肅。氣量小和不嚴肅，君子是不這樣做的。」

卷四 公孫丑下

本篇導讀——

共十四章。第一章論述對戰爭勝負起決定作用的因素不是天時、地利，而是人和，表現出孟子民本思想的一個側面。第二章以下，多記述孟子在進退去就方面的言行，以及待人接物的事跡。其中如第二章記齊王召見而不往、第三章記在齊不受百鎰之金、第十章記推辭齊王築室供養之議、第十一章記去齊時對挽留者的言論，集中體現出孟子在君臣關係上的主張，即君臣是否融洽，關鍵在君王能否禮賢下士，至於禮賢下士的關鍵，不在待遇的優渥，而在能聽其言、行其道。對於君王的這種要求，貫徹在孟子的行為中，顯示了獨立不羈的傲骨。第六章所記對王驩的態度，同樣可見孟子的耿介作風。第五章、第十二章所記孟子與蚳鼃、尹士的對話，則透露出孟子行為處事的靈活性。

孟子曰：「天時不如地利，地利不如人和。三里之城，七里之郭，環而攻之而不勝。夫環而攻之，必有得天時者矣；然而不勝者，是天時不如地利也。城非不高也，池非不深也，兵革非不堅利也，米粟非不多也；委而去之[1]，是地利不如人和也。故曰：域民不以封疆之界[2]，固國不以山谿之險，威天下不以兵革之利。得道者多助，失道者寡助。寡助之至，親戚畔之[3]；多助之至，天下順之。以天下之所順，攻親戚之所畔；故君子有不戰，戰必勝矣。」

注釋

1 委：棄。2 域：界限。3 畔：通「叛」。

譯文

孟子說：「天時不如地利，地利不如人和。內城每邊只有三里長，外城每邊只有七里長，圍攻它而不能取勝。既然圍攻它，一定有得天時的機會；然而不能取勝，這就是天時不如地利了。城牆不是不夠高，護城河不是不夠深，兵器甲冑不是不夠鋭利堅實，糧食不是不夠多；卻棄城而逃，這就是地利不如人和了。所以說：留住人民不靠國家的疆界，保衞國家不靠山川的險阻，威鎮天下不靠兵器的鋭利。佔據道義者幫助他的人就多，失去道義者幫助他的人就少。幫助的人少到極點，連親戚都背叛他；幫助的人多到極點，全天下都順從他。憑着全天下都順從的力量，來攻打連親戚都背叛他的人；所以君子或者不打仗，如果打仗一定會勝利。」

賞析與點評

「天時不如地利，地利不如人和」，決定勝負的，從根本上講，是人不是物。「人和」是首要條件。「得人和」的君子，「戰必勝矣」。

「得道者多助，失道者寡助」，仍是人心嚮背問題。講道義，必會得到支持，達致「人和」，不僅對戰爭有根本性意義，對政治同樣十分重要。

4.2

孟子將朝王，王使人來曰：「寡人如就見者也，有寒疾，不可以風。朝，將視朝，不識可使寡人得見乎？」

對曰：「不幸而有疾，不能造朝。」

明日，出吊於東郭氏。公孫丑曰：「昔者辭以病，今日吊，或者不可乎？」

曰：「昔者疾，今日愈，如之何不吊？」

王使人問疾，醫來。

孟仲子對曰[1]：「昔者有王命，有采薪之憂[2]，不能造朝。今病小愈，趨造於朝，我不識能至否乎？」

使數人要（yāo）於路，曰：「請必無歸而造於朝！」

不得已而之景丑氏宿焉。

景子曰：「內則父子，外則君臣，人之大倫也。父子主恩，君臣主敬。丑見王之敬子也，未見所以敬王也。」

曰：「惡！是何言也！齊人無以仁義與王言者，豈以仁義為不美也？其心曰，『是何足與言仁義也』云爾，則不敬莫大乎是。我非堯、舜之道，不敢以陳於王前，故齊人莫如我敬王也。」

景子曰：「否，非此之謂也。禮曰：『父召，無諾；君命召，不俟駕。』固將朝也，聞王命而遂不果，宜與夫禮若不相似然。」

曰：「豈謂是與？曾子曰：『晉、楚之富，不可及也。彼以其富，我以吾仁；彼以其爵，我以吾義。吾何慊（qiàn）乎哉？』夫豈不義而曾子言之？是或一道也。天下有達尊三[3]：爵一，齒一，德一。朝廷莫如爵，鄉黨莫如齒，輔世長民莫如德。惡得有其一以慢其二哉？故將大有為之君，必有所不召之臣，欲有謀焉，則就之。其尊德樂道，不如是，不足有為也。故湯之於伊尹，學焉而後臣之，故不勞而王；桓公之於管仲，學焉而後臣之，故不勞而霸。今天下地醜德齊[4]，莫能相尚，無他，好臣其所教，而不好臣其所受教。湯之於伊尹，桓公之於管仲，則不敢召。管仲且猶不可召，而況不為管仲者乎？」

注釋

1 孟仲子：孟子的從弟。2 采薪之憂：生病的代辭。3 達尊：公認為尊貴者。達，通。4 醜：相同。

譯文

孟子正要去朝見齊王，王派人來說：「我本該來見您，可是着涼了，不能吹風。您如果來朝見，我就臨朝辦公，不知道可以讓我見到您嗎？」

孟子答道：「我也不幸得了病，不能上朝廷去。」

次日，孟子到東郭家弔喪。公孫丑說：「昨天託病拒絕朝見，今天又去弔喪，恐怕不好吧？」

孟子說：「昨天病了，今天好了，為甚麼不去弔喪？」

齊王派人來問病，醫生也來了。

孟仲子答道：「昨天王有命令，他得了小病，不能上朝廷去。今天病稍好些，他就上朝廷去了，我不知到了沒有？」

他又打發幾個人到孟子歸家的路上攔住孟子，說：「請一定別回來，上朝廷去！」

孟子不得已，到景丑家歇宿。

景子說：「在家有父子，在外有君臣，這都是重要的人際關係。父子以恩愛為主，君臣以恭敬為主。我只見王尊敬您，卻沒見您尊敬王。」

孟子說：「呵！這是甚麼話！齊國人沒有拿仁義向王進言的，難道認為仁義不好嗎？他心裏說，『這個人哪裏值得和他講仁義』，如此而已，沒有比這更不恭敬的了。我呢，不是堯、舜的道理，不敢在王的面前說，所以齊國人沒有比我更尊敬王的。」

景子說：「不，我不是指這個。禮經上說：『父親召喚，答「唯」不答「諾」；君王召喚，不等車馬準備好就出發。』你本來要去朝見，聽到王的命令反而不去，似乎和禮的規範有些不合。」

孟子說：「難道我說的是這個道理？曾子說：『晉王和楚王的財富，我是比不上的。但是他倚仗他的財富，我倚仗我的仁；他倚仗他的爵位，我倚仗我的義，我何必自以為比他少點甚麼？』不義的話，曾子會說嗎？這話也許有一番道理吧。天下公認為尊貴的東西有三個：爵位是一個，年齡是一個，道德是一個。在朝廷上先論爵位，在鄉里先論年齡，輔助君王治理天下、統治人民，先論道德。怎麼可以佔了其中一個，來驕慢其他兩個？所以想要大有作為的君王，一定有他的不能召見的臣子。如果有事要商量，就主動到臣子那裏去。他尊重道德喜愛道義，如果達不到這個程度，是不足以和他一道有所作為的。所以商湯對於伊尹，首先是向他學習，然後才把他當臣子，因此不操勞就統一了天下；齊桓公對於管仲，首先是向他學習，然後才把他當臣子，因此不操勞就稱霸於諸侯。當今天下各國，國土是一樣大小，品德是一般高低，沒有人能超過別人。沒有別的原因，就因為都喜歡把自己所教導的人當臣子，而不喜歡把教導自己的人當臣子。商湯對於伊尹，齊桓公對於管仲，那是不敢召喚的。管仲尚且不可以召喚，何況不願做管仲的人呢？」

4·3

陳臻問曰：「前日於齊，王餽兼金一百而不受[1]；於宋，餽七十鎰而受；於薛，餽五十鎰而受。前日之不受是，則今日之受非也；今日之受是，則前日之不受非也。夫子必居一於此矣。」

孟子曰：「皆是也。當在宋也，予將有遠行，行者必以贐（jìn）[2]；辭曰：『餽贐。』予何為不受？當在薛也，予有戒心；辭曰：『聞戒，故為兵餽之。』予何為不受？若於齊，則未有處也。無處而餽之，是貨之也。焉有君子而可以貨取乎？」

注釋　1 兼金：好金，價值雙倍於普通金，故稱。2 贐：送給別人的財物。這裏指盤纏。

譯文　陳臻問道：「先前在齊國，齊王送您上等金一百鎰，而您不接受；在宋國，宋君送您七十鎰，您接受了；在薛，薛君送您五十鎰，您也接受了。如果先前的不接受是對的，那麼今天的接受就是錯的了；如果今天的接受是對的，那麼先前的不接受就是錯的了。二者之間，先生必居其一。」

孟子說：「都是對的。在宋國的時候，我將要遠行，對遠行的人照例要送些盤纏；因此他說：『贈送盤纏。』我為甚麼不接受？在薛的時候，我有戒備之心；因此他說：『聽說您有戒備之心，因此贈送買兵器的錢。』我為甚麼不接受？至於在齊國，就沒甚麼理由了。沒有理由而送錢給我，這是收買我。哪有君子可以被收買的呢？」

4·4

孟子之平陸，謂其大夫曰：「子之持戟之士，一日而三失伍[1]，則去之否乎？」

曰：「不待三。」

「然則子之失伍也亦多矣。凶年饑歲，子之民，老羸轉於溝壑，壯者散而之四方者，幾千人矣。」

曰：「此非距心之所得為也[2]。」

曰：「今有受人之牛羊而為之牧之者，則必為之求牧與芻矣。求牧與芻而不得，則反諸其人乎？抑亦立而視其死與？」

曰：「此則距心之罪也。」

他日，見於王曰：「王之為都者，臣知五人焉。知其罪者惟孔距心。」為王誦之。

王曰：「此則寡人之罪也。」

注釋

1 失伍：掉隊或擅離崗位。2 距心：即本章對話中平陸邑宰之名。

譯文

孟子到平陸去，對當地的邑宰說：「先生的士卒，如果一天失職三次，你會殺了他嗎？」

邑宰說：「不必等到三次。」

孟子說：「那麼，您失職的地方可就多了。饑荒年歲，您的百姓，年老體弱的輾轉死於溝壑，年輕力壯的四散逃荒，幾乎有一千人啊。」

邑宰說：「這不是我距心力所能及的。」

孟子說：「假如現在有個接受別人牛羊而替人放牧的人，他一定會替人去找牧場和草料。找不到牧場和草料的話，是把牛羊還給人家呢，還是站着眼看牠們死掉呢？」

邑宰說：「這麼說是我距心的罪過了。」

過些日子，孟子朝見齊王，說：「王的都邑長官中，我認識五個人。明白自己的罪過的，只有孔距心一人。」接着為齊王講述了與孔距心的對話。

王說：「這麼說是我的罪過了。」

4·5

孟子謂蚳鼃（chí wā）曰：「子之辭靈丘而請士師，似也，為其可以言也。今既數月矣，未可以言與？」

蚳鼃諫於王而不用，致為臣而去[1]。

齊人曰：「所以為蚳鼃則善矣，所以自為則吾不知也。」

公都子以告。

曰：「吾聞之也，有官守者，不得其職則去；有言責者，不得其言則去。我無官守，我無言責也，則吾進退，豈不綽綽然有餘裕哉？」

注釋

1 致為臣：猶言「致仕」，交還官職，這裏指辭職。致，還。

譯文

孟子對蚳鼃說：「你辭去靈丘邑的邑宰而請求做獄官，似乎有道理，因為可以進言。現在你做獄官已經有幾個月了，還不能進言嗎？」

蚳鼃向王進諫而王不採納，就辭職走了。

齊國有人說：「孟子為蚳鼃考慮的主意是好的，為自己考慮的主意怎樣呢，那我就不曉得了。」

公都子把這話告訴孟子。

孟子說：「我聽說過，有固定官職的人，如果不能盡職，就辭去；有進言職責的人，如果進言不被採納，就辭去。我沒有固定官職，也沒有進言的職責，那麼，我的進退，難道不是寬鬆自如，大有餘地嗎？」

‖4.6

孟子為卿於齊，出吊於滕，王使蓋（gě）大夫王驩為輔行。王驩朝暮見。反齊滕之路，未嘗與之言行事也。

公孫丑曰：「齊卿之位，不為小矣[1]；齊滕之路，不為近矣。反之而未嘗與言行事，何也？」

曰：「夫既或治之，予何言哉？」

注釋

1「齊卿」句：這裏是指孟子而言。公孫丑以為孟子任齊卿，不小於王，宜有所指揮，因而有此一問。

譯文

孟子在齊國做卿，奉使到滕國去弔喪，齊王派蓋邑的長官王驩任副使同行。孟子與王驩朝夕相處。在往返齊國和滕國的路上，孟子沒和王驩講過出使的事。

公孫丑說：「齊卿的官位，不算小了；齊滕間的路途，不算近了。往返一趟而沒和他講過出使的事，這是為甚麼？」

孟子說：「他既然自作主張辦事了，我還說甚麼？」

4·7

孟子自齊葬於魯，反於齊，止於嬴。

充虞請曰：「前日不知虞之不肖，使虞敦匠事。嚴[1]，虞不敢請。今願竊有請也：木若以美然[2]。」

曰：「古者棺槨無度，中古[3]，棺七寸，槨稱之。自天子達於庶人，非直為觀美也，然後盡於人心。不得，不可以為悅；無財，不可以為悅。得之為[4]，有財，古之人皆用之，吾何為獨不然？且比化者無使土親膚[5]，於人心獨無恔（xiào）乎[6]？吾聞之，君子不以天下儉其親。」

注釋

1 嚴：急。2 以：太。3 中古：指周公制禮的時候。4 為：用。5 比：為。化者：死者。6 恔：滿意。

譯文

孟子從齊國到魯國埋葬母親，回到齊國，在嬴邑停下來。充虞請問道：「前些日子承您錯愛，讓我管木匠的事。當時事情急迫，我不敢請教。現在願有所請教：棺木似乎太好了。」

孟子說：「古時候，棺槨沒有固定的尺寸，中古，規定棺厚七寸，槨與之相稱。從天子到老百姓，講究棺槨，不只是為了美觀，而是因為這樣才能盡人的孝心。因禮制限定而不能用，不能算如意；沒錢，也不能如意。禮制規定可以用，又有錢，古人都這樣用了，為甚麼就我不行？而且為死者考慮，不使泥土挨着肌膚，對於孝子來說不是可以少點遺憾嗎？我聽說過，君子不會因為天下的緣故而在父母的身上節儉。」

沈同以其私問曰：「燕可伐與？」

孟子曰：「可。子噲（kuài）不得與人燕，子之不得受燕於子噲。有仕於此[1]，而子悅之，不告於王而私與之吾子之祿爵，夫士也，亦無王命而私受之於子，則可乎？何以異於是？」

齊人伐燕。

或問曰：「勸齊伐燕，有諸？」

曰：「未也。沈同問『燕可伐與』，吾應之曰『可』。彼然而伐之也。彼如曰：『孰可以伐之？』則將應之曰：『為天吏，則可以伐之。』今有殺人者，或問之曰：『人可殺與？』則將應之曰：『可。』彼如曰：『孰可以殺之？』則將應之曰：『為士師，則可以殺之。』今以燕伐燕，何為勸之哉？」

注釋

1 仕：通「士」，古代四民之一。指以道藝、武勇謀求仕進的人。

譯文

沈同以個人身份問道：「燕國可以討伐嗎？」

孟子說：「可以。子噲不可以把燕國給子之，子之也不可以從子噲那裏接受燕國。譬如這裏有個士人，您喜歡他，不跟王打招呼就私自把您的俸祿和爵位給他，那士人呢，也沒有王的任命就私自從您這裏接受了，那能行嗎？燕國的事和這個有甚麼不同呢？」

齊國討伐燕國。

有人問孟子：「您勸齊國討伐燕國，有這事嗎？」

孟子說：「沒有。沈同問『燕國可以討伐嗎』，我回答他說『可以』。他便贊同而去討伐燕國。他如果再問：『誰可以去討伐？』我就會答道：『作為天吏，就可以去討伐它。』譬如現在有個殺人的，有人問道：『那人可以殺嗎？』我就會答道：『可以。』他如果問：『誰可以殺他？』我就會答道：『作為獄官，就可以殺他。』如今拿一個同燕國一樣暴虐的齊國去討伐燕國，我為甚麼去勸他呢？」

4.9

燕人畔。王曰：「吾甚慚於孟子。」

陳賈曰：「王無患焉。王自以為與周公孰仁且智？」

王曰：「惡！是何言也！」

曰：「周公使管叔監殷，管叔以殷畔。知而使之，是不仁也；不知而使之，是不智也。仁智，周公未之盡也，而況於王乎？賈請見而解之。」

見孟子，問曰：「周公何人也？」

曰：「古聖人也。」

曰：「使管叔監殷，管叔以殷畔也，有諸？」

曰：「然。」

曰：「周公知其將畔而使之與？」

曰：「不知也。」

「然則聖人且有過與？」

曰：「周公，弟也；管叔，兄也。周公之過，不亦宜乎？且古之君子，過則改之；今之君子，過則順之。古之君子，其過也，如日月之食，民皆見之，及其更也，民皆仰之；今之君子，豈徒順之，又從為之辭。」

譯文

燕國人背叛齊國。齊王說：「我對孟子感到很慚愧。」

陳賈說：「王不必憂慮。王自以為和周公相比，誰更仁愛而明智？」

王說：「呵！這是甚麼話！」

陳賈說：「周公讓管叔監督殷國，管叔卻憑藉殷國發動叛亂；如果知道他要叛亂而讓他去，這是不仁；如果不知道他要叛亂而讓他去，這是不智。仁和智，周公尚且不能完全做到，何況王呢？請讓我見孟子並向他解釋。」

陳賈見了孟子，問道：「周公是甚麼人？」
孟子說：「古代的聖人。」
陳賈說：「他讓管叔監督殷國，管叔卻憑藉殷國發動叛亂，有這事嗎？」
孟子說：「有。」
陳賈說：「周公是知道他要叛亂而讓他去的嗎？」
孟子說：「他不知道。」
陳賈說：「那麼聖人也會有過錯嗎？」
孟子說：「周公是弟弟，管叔是哥哥。周公犯這個錯誤，不是很自然嗎？況且古時候的君子，犯了錯誤就改正；現在的君子，犯了錯誤卻將錯就錯。古時候的君子，他的錯誤呢，就像日食和月食一般，別人都看得見；等他改正了，別人都抬頭仰望；現在的君子，豈只是將錯就錯，還接着編一套說辭文過飾非。」

4.10

孟子致為臣而歸。王就見孟子，曰：「前日願見而不可得，得侍同朝，甚喜。今又棄寡人而歸，不識可以繼此而得見乎？」
對曰：「不敢請耳，固所願也。」

他日，王謂時子曰：「我欲中國而授孟子室，養弟子以萬鍾[1]，使諸大夫國人皆有所矜式[2]。子盍為我言之！」

時子因陳子而以告孟子[3]，陳子以時子之言告孟子。

孟子曰：「然。夫時子惡知其不可也？如使予欲富，辭十萬而受萬，是為欲富乎？季孫曰：『異哉子叔疑！使己為政，不用，則亦已矣，又使其子弟為卿。人亦孰不欲富貴？而獨於富貴之中有私龍斷焉。』古之為市也，以其所有易其所無者，有司者治之耳。有賤丈夫焉，必求龍斷而登之，以左右望而罔市利。人皆以為賤，故從而徵之。徵商自此賤丈夫始矣。」

注釋

1 萬鍾：指萬鍾糧食。一鍾為六石四斗，萬鍾則為六萬四千石，約折合今日之一萬三千石。2 矜式：敬重效法。矜，敬重。式，效法。3 陳子：即孟子弟子陳臻。

譯文

孟子辭職準備回鄉。齊王來見孟子，說：「從前希望見到您而沒有機會，後來得以同朝辦事，很高興。現在您又要拋棄我而回鄉，不曉得今後還可以見到您嗎？」

孟子答道：「我只是不敢請求而已，這本來也是我的願望。」

過些日子，王對時子說：「我想在國都之中給孟子一幢房子，用萬鍾糧食供養他的弟子，使眾大夫和平民百姓都有學習的楷模。你何不替我向孟子談談！」

時子託陳子把這個意思告訴孟子，陳子把時子的話轉告了孟子。

孟子說：「哦。時子哪裏知道那是不可以的？假如我想發財，辭去十萬鍾的俸祿來接受一萬鍾的俸祿，這是想發財嗎？季孫曾說：『奇怪呀子叔疑！自己要做官，人家不用他，那也就罷了，卻又打發自己的子弟來做卿相。誰不想做官富貴？而他卻在做官富貴之中獨自壟斷。』古人做生意，拿自己所有的交換自己所無的，有專門的部門管理這種事。有個卑鄙漢子在那裏，一定要找個獨立而高的岡壟登上去，左顧右盼來網羅整個集市的利益。人人都認為他卑鄙，所以向他抽稅。向商人抽稅就是從這個卑鄙漢子開始的。」

4.11

孟子去齊，宿於晝。有欲為王留行者，坐而言[1]。不應，隱几而臥。

客不悅，曰：「弟子齊（zhāi）宿而後敢言，夫子臥而不聽，請勿復敢見矣。」

曰：「坐！我明語子。昔者魯繆公無人乎子思之側，則不能安子思；泄柳、申詳無人乎繆公之側，則不能安其身。子為長者慮，而不及子思[2]。子絕長者乎？長者絕子乎？」

注釋

1 坐：指危坐，即跪。古人席地而坐，雙膝着地，臀部靠在腳後跟上，這是安坐；雙膝着地而臀部離開腳後跟，這是危坐，即跪。安坐與危坐均可稱「坐」。2 不及子思：不及魯穆公安排在子思身邊的賢人。意思是不勸王留我，反而勸我留下。

譯文

孟子離開齊國，在晝邑歇宿。有一個想替齊王挽留孟子的人，恭敬地坐着向孟子進言。孟子沒答話，靠着坐几睡覺。

客人不高興，說：「學生齋戒一天才敢跟您說話，先生卻靠着睡覺而不聽，以後再也不敢和您見面了。」

孟子說：「坐下來！我明白地告訴你。從前，魯穆公如果沒有人在子思身邊及時表達尊賢的誠意，就不能使子思安心；泄柳、申詳如果沒有人在魯穆公身邊隨時勸王禮賢下士，就不能使自己安心。你為老人考慮，卻比不上為子思考慮的那些賢人。是你對老人絕情呢，還是老人對你絕情呢？」

賞析與點評

由於對齊宣王不滿意，進而對齊宣王派來挽留的人也不客氣。這裏再次表現出孟子剛直不妥協的個性。

孟子去齊。尹士語人曰：「不識王之不可以為湯武，則是不明也；識其不可，然且至，則是干澤也[1]。千里而見王，不遇故去，三宿而後出晝，是何濡滯也？士則茲不悅。」

高子以告。

曰：「夫尹士惡知予哉？千里而見王，是予所欲也。不遇故去，豈予所欲哉？予不得已也。予三宿而出晝，於予心猶以為速，王庶幾改之！王如改諸，則必反予。夫出晝，而王不予追也，予然後浩然有歸志[2]。予雖然，豈舍王哉！王由足用為善，王如用予，則豈徒齊民安？天下之民舉安。王庶幾改之！予日望之！予豈若是小丈夫然哉？諫於其君而不受，則怒，悻悻然見於其面[3]，去則窮日之力而後宿哉？」

尹士聞之，曰：「士誠小人也。」

注釋

1 干：求。澤：恩澤，指俸祿。2 浩然：水流不止的樣子。3 悻悻然：形容氣量狹小的樣子。

譯文

孟子離開齊國。尹士對人說：「不知道齊王不能夠做商湯、武王，那是不明智；知道他不能，但還是來了，那是來求富貴。千里迢迢來見王，不能投合而離開，歇了三宿才出晝邑，怎麼這樣慢騰騰的？我對這種情況不高興。」

高子把這些話告訴了孟子。

孟子說：「那尹士哪能了解我呢？千里迢迢來見王，是我所希望的。不能投合而離開，難道是我所希望的？我不得已啊。我歇了三宿才出晝邑，在我心裏還認為太快了，我心想，王也許會改變態度的！王如果改變了態度，就一定會讓我回去。出了晝邑呢，王還不追我回去，我這才有了斷然回鄉的念頭。我儘管這樣，難道捨得王嗎！王還是足以做正事的，王假如用我，那何止是齊國的百姓得到太平？天下的百姓都能得到太平。王也許會改變態度的！我天天盼望！我難道像那種小氣的漢子嗎？向君王進諫而不被採納，就發怒，氣呼呼地表現在臉上，一旦離開，就走上一整天，沒力氣了才歇下？」

尹士聽到這些話，說：「我真是個小人呀！」

4.13

孟子去齊，充虞路問曰：「夫子若有不豫色然。前日虞聞諸夫子曰：『君子不怨天，不尤人。』」

曰：「彼一時，此一時也。五百年必有王者興，其間必有名世者。由周而來，七百有餘歲矣。以其數，則過矣；以其時考之，則可矣。夫天未欲平治天下也，

如欲平治天下，當今之世，舍我其誰也？吾何為不豫哉？」

譯文

孟子離開齊國，充虞在路上問道：「先生似乎不太高興。從前我聽先生說過：『君子不埋怨天，不責怪人。』」

孟子說：「那是一個時候，現在又是一個時候。每過五百年一定有聖王出現，那時一定有聞名於世的賢人。從周代以來，七百多年了。按年數算來，已經超過了五百；從時勢來看，也該出現了。看來天還不想使天下太平啊，如果想使天下太平，當今世上，除了我還有誰呢？我為甚麼不高興呢？」

賞析與點評

「君子不怨天，不尤人。」——有風度的君子終得「輸得起」，要有服輸的精神和勇氣，不應把時間浪費在怨天尤人上，而應用在努力充實自己、自我提升上。

「如欲平治天下，當今之世，舍我其誰也？」——齊宣王不能以燕國的民意為依歸，孟子很失望，遂離開齊國。要「平治天下」，「舍我其誰」，充分體現出孟子浩然正氣盈胸的強烈使命感。他遊歷各國，勸說統治者施行仁政，都是這種使命感的驅迫。

孟子去齊，居休。公孫丑問曰：「仕而不受祿，古之道乎？」

曰：「非也。於崇，吾得見王，退而有去志，不欲變，故不受也。繼而有師命[1]，不可以請。久於齊，非我志也。」

注釋　1 師命：軍令。

譯文　孟子離開齊國，在休地逗留。公孫丑問道：「做官卻不接受俸祿，是古人的原則嗎？」

孟子說：「不是。在崇，我得以見到齊王，退下後便有離開的意思，不想改變，所以不接受俸祿。後來齊國有戰事，不可以請求離開。長久地待在齊國，不是我的願望。」

卷五 滕文公上

本篇導讀——

共五章。前三章記錄孟子對滕文公的開導。其中第三章所記，是在滕文公準備實行仁政時，孟子提出的一些政策主張，要點是實行井田制，以及興辦各級學校，對老百姓進行倫理道德教育。孟子之所以推崇井田制，主要是因為有利於保障老百姓的生活，從而為推行禮義建立基礎。第一章勉勵滕文公學習聖人之道，第二章就喪禮之事要求滕文公以身作則，這兩章或坐而論道，或就事論事，但都貫穿着「行仁由己」的原則，強調個人蹈行禮義的自覺性和主動性。本篇的最後兩章，分別記錄了與農家和墨家的對話。孟子對農家的駁斥，集中於「賢者與民並耕而食」的主張，其主要依據是社會分工的必要性。而孟子對墨家的批評，則集中於薄葬的主張和「愛無等差」之說，他強調「孝」在各種人倫品德中的優先地位，其中「不葬其親者」的寓言可以理解為是在闡發孝與喪禮的關係，即喪禮這種形式，是孝子之心自然的呈現。孟子自稱「知言」，別人也說他「好辯」，《孟子》一書所載的論辯，比較多的是與君王或弟子之辯，這兩章卻是與其他學派的交鋒，有特殊的價值。

滕文公為世子，將之楚，過宋而見孟子。孟子道性善，言必稱堯、舜。世子自楚反，復見孟子。孟子曰：「世子疑吾言乎？夫道一而已矣。成覸（xián）謂齊景公曰[1]：『彼，丈夫也；我，丈夫也；吾何畏彼哉？』顏淵曰：『舜，何人也？予，何人也？有為者亦若是。』公明儀曰[2]：『文王，我師也；周公豈欺我哉？』今滕，絕長補短，將五十里也，猶可以為善國。《書》曰：『若藥不瞑眩，厥疾不瘳（chōu）[3]。』」

注釋 1 成覸：齊國的臣，以勇敢著稱。2 公明儀：孔子學生曾參的弟子。3 瘳：痊癒。

譯文 滕文公做太子時，要到楚國去，經過宋國，會見了孟子。孟子講人性本善的道理，言語之間不離堯、舜。太子從楚國回來，又來見孟子。孟子說：「太子懷疑我的話嗎？道理啊只有一個而已。成覸對齊景公說：『他是個男子漢，我也是個男子漢；我為甚麼害怕他呢？』

顏淵說：『舜是甚麼人呢？我是甚麼人呢？有所作為的人跟他一樣。』公明儀說：『文王，是我的老師，周公難道欺騙我嗎？』如今，滕國的土地如果截長補短，也接近縱橫各五十里了，還可以治理成一個好國家。《尚書》說：『如果藥不能吃得人頭昏腦脹，那是治不好病的。』」

5.2

滕定公薨。世子謂然友曰：「昔者孟子嘗與我言於宋，於心終不忘。今也不幸至於大故[1]，吾欲使子問於孟子，然後行事。」

然友之鄒，問於孟子。

孟子曰：「不亦善乎！親喪，固所自盡也。曾子曰：『生，事之以禮；死，葬之以禮，祭之以禮，可謂孝矣。』諸侯之禮，吾未之學也。雖然，吾嘗聞之矣。三年之喪，齋（zī）疏之服，飦（zhān）粥之食，自天子達於庶人，三代共之。」

然友反命，定為三年之喪。父兄百官皆不欲[2]，曰：「吾宗國魯先君莫之行，吾先君亦莫之行也，至於子之身而反之，不可。且《志》曰：『喪祭從先祖。』」曰：「吾有所受之也。」

謂然友曰：「吾他日未嘗學問，好馳馬試劍。今也父兄百官不我足也，恐其不能盡於大事，子為我問孟子。」然友復之鄒問孟子。

孟子曰：「然。不可以他求者也。孔子曰：『君薨，聽於塚宰[3]。歠（chuò）粥，面深墨，即位而哭，百官有司莫敢不哀，先之也。』上有好者，下必有甚焉者矣。君子之德，風也；小人之德，草也。草尚之風[4]，必偃。是在世子。」

然友反命。世子曰：「然。是誠在我。」

五月居廬，未有命戒。百官族人可，謂曰知。及至葬，四方來觀之，顏色之戚，哭泣之哀，弔者大悅。

注釋

1 大故：大事。這裏指父喪。2 父兄：指與滕文公同姓的老臣。百官：指與滕文公不同姓的百官。3 塚宰：百官之長。4 尚：加。

譯文

滕定公死了。太子對然友說：「從前，孟子曾在宋國和我交談過，我心裏始終沒有忘記。現在不幸得很，父親逝世了，我想請先生去問問孟子，然後才辦喪事。」

然友到鄒國，去問孟子。

孟子說：「不錯呀。父親的喪事是該主動盡孝的。曾子說：『父母生前，按照禮來服事他們；死後，按照禮來埋葬他們，按照禮來祭祀他們，這樣可以稱得上孝了。』諸侯的禮，我沒學過；儘管如此，我還是聽說過的。守孝三年，穿着粗布縫邊的喪服，喝着粥，從天子到平民百姓，夏、商、周三代都是一樣的。」

然友回去復命，太子決定實行守孝三年的喪禮。父老百官都不願意，說：「我們的宗國魯國的歷代君主都沒這麼辦，我國歷代的君主也沒這麼辦，到了您這裏卻違反規矩，不行的。況且《志》上說：『喪禮、祭禮遵循祖宗的成例。』」他們又說：「我們是有所根據的。」

太子對然友說：「我以前沒做過學問，喜歡跑馬舞劍。現在父老百官對我不滿意，擔心我不能辦好喪事。先生再替我去問問孟子！」然友又到鄒國去問孟子。

孟子說：「是啊。但這是不能要求別人的。孔子說：『君主死了，政務聽命於冢宰，太子只得喝粥，面色深黑，就臨孝子之位便哭，大小官吏沒有人敢不悲哀，這是因為太子帶了頭。』上面愛好甚麼，下面一定愛好得更厲害。尊貴者的德行，像風；卑微者的德行，像草。草上有風吹過，一定隨之撲倒。這事全在太子怎麼做。」

然友回去報告。

太子說：「是。這事確實全在我怎麼做。」

太子在喪廬住了五個月，沒有發佈任何政令。百官和族人都贊成，稱道太子懂禮。到了舉行葬禮的時候，四方賓客都來觀禮，太子容色的淒慘，哭泣的悲哀，使弔喪的人大為滿意。

5·3

滕文公問為國。

孟子曰：「**民事不可緩也**。《詩》云：『晝爾于茅[1]，宵爾索綯（táo）；亟其乘屋，其始播百穀[2]。』民之為道也，**有恆產者有恆心，無恆產者無恆心**。苟無恆心，放辟邪侈，無不為已。及陷乎罪，然後從而刑之，是罔民也。焉有仁人在位罔民而可為也？是故賢君必恭儉禮下，取於民有制。陽虎曰[3]：『為富不仁矣，為仁不富矣。』

「夏后氏五十而貢[4]，殷人七十而助，周人百畝而徹，其實皆什一也。徹者，徹也。助者，藉也。龍子曰：『治地莫善於助，莫不善於貢。』貢者，挍（jiào）數歲之中以為常。樂歲，粒米狼戾，多取之而不為虐，則寡取之；凶年，糞其田而不足，則必取盈焉。為民父母，使民盻（xì）盻然，將終歲勤動，不得以養其父母，又稱貸而益之，使老稚轉乎溝壑，惡在其為民父母也？夫世祿，滕固行之矣。《詩》云：『雨（yù）我公田，遂及我私。』惟助為有公田。由此觀之，雖周亦助也。

「設為庠（xiáng）序學校以教之。庠者，養也。校者，教也。序者，射（yì）

也。夏曰校，殷曰序，周曰庠；學則三代共之，皆所以明人倫也。人倫明於上，小民親於下。有王者起，必來取法，是為王者師也。

「《詩》云：『周雖舊邦，其命惟新。』文王之謂也。子力行之，亦以新子之國！」

使畢戰問井地。

孟子曰：「子之君將行仁政，選擇而使子，子必勉之！夫仁政，必自經界始。經界不正，井地不鈞，穀祿不平，是故暴君污吏必慢其經界。經界既正，分田制祿可坐而定也。

「夫滕，壤地褊小，將為君子焉，將為野人焉。無君子，莫治野人；無野人，莫養君子。請野九一而助，國中什一使自賦。卿以下必有圭田[5]，圭田五十畝；餘夫二十五畝。死徙無出鄉，鄉田同井，出入相友，守望相助，疾病相扶持，則百姓親睦。方里而井，井九百畝，其中為公田。八家皆私百畝，同養公田。公事畢，然後敢治私事。所以別野人也。此其大略也。若夫潤澤之，則在君與子矣。」

注釋

1 爾：語助詞，無義。于：往。茅：取茅。2 始：歲始，年初。以上引詩出自《詩經・豳風・七月》。3 陽虎：即陽貨，魯國大夫季氏的家臣，與孔子同時。4 五十而貢：傳說夏代每戶授田五十畝，每戶上繳一定的收成作為地租。這與下文的「助」、「徹」，都是儒家傳說的土地稅法，在歷史上未必實行過。5 圭田：俸祿以外另授給官吏的田。圭，清潔。稱「圭田」表示可供祭祀費用。

譯文

滕文公問怎樣治國。

孟子說：「老百姓的事情不能拖。《詩經》說：『早晨去打草，晚上搓繩子。趕緊修茅屋，開春又要種莊稼。』老百姓的情況呀，就是有固定的產業便有堅定的心志，沒有固定的產業便沒有堅定的心志。假如沒有堅定的心志，就會為非作歹，無所不為。等他們犯了罪，然後處罰他們，這叫陷害百姓。哪有仁德的人在位治國卻做出陷害百姓的事來？所以英明的君王一定嚴肅而節儉，對下級有禮，向百姓徵稅有一定的制度。陽虎說：『要致富就不能講仁義，要講仁義就不能致富。』「夏代每戶五十畝地，實行貢法；商代每戶七十畝地，實行助法；周代每戶一百畝地，實行徹法。其實質都是抽取十分之一稅率的地租。徹，是『通』的意思；助，是『借』的意思。龍子說：『地租中沒有比助法更好，沒有比貢法更不好的。』貢法，是比較幾年中的收成以確定一個平均數，作為每年收稅的稅額。如果年成好，糧食就多得滿地狼藉，多收一些地租也不算暴虐，倒收得少；如果年成不好，收成還不夠來年施肥的費用，地租卻一定要收到滿額。做老百姓的父母官，卻使老百姓累得慘兮兮，而且終年辛苦勞作，還不夠養活父母，還得借高利貸來湊足地租，使老的小的拋屍露骨於山溝之中，這哪裏是為民父母呢？做官的人有世襲的俸祿，滕國早就實行了。《詩經》說：『下雨下到我公田，然後又到我私田。』只有借力助耕才談得上『公田』。由此看來，即使周代的制度其實質也還是助法。

「又設立庠、序、學、校來教導百姓。庠，是教養的意思；校，是教導的意思；序，是陳列的意思。鄉里學校，夏代叫『校』，商代叫『序』，周代叫『庠』；國立學校則三代都叫『學』，都是使人明白倫理道德的。上面的人明白倫理道德，下面的平民百姓自然愛戴他們。如果有聖王出現，一定要來取法，這就成了聖王的師傅了。

「《詩經》說：『周雖是古老的邦國，卻有着新受的天命。』這說的是文王。您好好幹吧，也來使您的國家面貌一新！」

滕文公讓畢戰來問井田制。

孟子說：「你的君主要實行仁政，選派你來。你一定要盡力。仁政一定要從劃分田界做起。劃分田界如果不公正，井田就分得不均勻，作為俸祿的穀物田租也就收得不公平了，所以暴君污吏一定把劃分田界當兒戲。田界如果劃得公正，分發田地、訂立俸祿制度，就可以輕易辦妥了。

「滕國雖然土地狹小，但也有當官的，也有種田的。沒有當官的，就沒人管理種田的；沒有種田的，就沒人養活當官的。建議在郊野實行九分抽一的助法，在城市實行十分抽一的貢法。卿以下官吏都授給圭田，圭田的大小是五十畝。家裏還有剩餘勞力的，另授田二十五畝。老死或搬家，也不離開本鄉，鄉里同一井田的人家，出入相伴，防盜禦寇互相幫助，有病互相照料，於是老百姓就會彼此親愛，相處和睦。縱橫方圓一里的地為一個井田，每個井田九百畝，當中一百畝是公田。八家都授給私田一百畝，共同耕種公田。公田裏的活幹完了，然後才敢幹私田的活，以此來區別當官的和種田的。這就是井田制的大概。至於調整潤飾，那就靠君王和你了。」

5·4

有為神農之言者許行，自楚之滕，踵門而告文公曰：「遠方之人聞君行仁政，願受一廛而為氓[1]。」

文公與之處。

其徒數十人，皆衣褐，捆屨（jù）、織席以為食。

陳良之徒陳相與其弟辛負耒耜（lěi sì）而自宋之滕[2]，曰：「聞君行聖人之政，是亦聖人也，願為聖人氓。」

陳相見許行而大悅，盡棄其學而學焉。

陳相見孟子，道許行之言曰：「滕君則誠賢君也。雖然，未聞道也。賢者與民並耕而食，饔飧（yōng sūn）而治[3]。今也滕有倉廩府庫，則是厲民而以自養也，惡得賢？」

孟子曰：「許子必種粟而後食乎？」

曰：「然。」

「許子必織布而後衣乎？」

曰：「否。許子衣褐。」

「許子冠乎？」

曰：「冠。」

曰：「奚冠？」

曰：「冠素。」

曰：「自織之與？」

曰：「否。以粟易之。」

曰：「許子奚為不自織？」

曰：「害於耕。」

曰：「許子以釜甑爨（zèng cuàn），以鐵耕乎？」

曰：「然。」

「自為之與？」

曰：「否。以粟易之。」

「以粟易械器者，不為厲陶冶；陶冶亦以其械器易粟者，豈為厲農夫哉？且許子何不為陶冶，舍皆取諸其宮中而用之[4]？何為紛紛然與百工交易？何許子之不憚煩？」

曰：「百工之事固不可耕且為也。」

「然則治天下獨可耕且為與？有大人之事，有小人之事。且一人之身，而百工之所為備，如必自為而後用之，是率天下而路也。故曰或勞心，或勞力；勞心者治人，勞力者治於人；治於人者食人，治人者食於人，天下之通義也。

「當堯之時，天下猶未平，洪水橫流，氾濫於天下，草木暢茂，禽獸繁殖，五穀不登，禽獸偪（bī）人，獸蹄鳥跡之道交於中國。堯獨憂之，舉舜而敷治焉。舜使益掌火，益烈山澤而焚之，禽獸逃匿。禹疏九河，瀹（yuè）濟、漯（tà）而注諸海，決汝、漢，排淮、泗而注之江，然後中國可得而食也。當是時也，禹八年於外，三過其門而不入，雖欲耕，得乎？

「后稷教民稼穡，樹藝五穀。五穀熟而民人育。人之有道也，飽食、暖衣、逸居而無教，則近於禽獸。聖人有憂之，使契（xiè）為司徒，教以人倫：父子有親，君臣有義，夫婦有別，長幼有敘，朋友有信。放勳曰：『勞之來之，匡之直之，輔之翼之，使自得之，又從而振德之。』聖人之憂民如此，而暇耕乎？

「堯以不得舜為己憂，舜以不得禹、皋陶為己憂。夫以百畝之不易為己憂者[5]，農夫也。分人以財謂之惠，教人以善謂之忠，為天下得人者謂之仁。是故以天下與人易，為天下得人難。孔子曰：『大哉堯之為君！惟天為大，惟堯則之，蕩蕩乎民無能名焉！君哉舜也！巍巍乎有天下而不與焉！』堯、舜之治天下，豈無所用其心哉？亦不用於耕耳。

「吾聞用夏變夷者，未聞變於夷者也。陳良，楚產也，悦周公、仲尼之道，北學於中國。北方之學者，未能或之先也。彼所謂豪傑之士也。子之兄弟事之數十年，師死而遂倍之！昔者孔子沒，三年之外，門人治任將歸[6]，入揖於子貢，相嚮而哭，皆失聲，然後歸。子貢反，築室於場，獨居三年，然後歸。他日，子夏、子張、子游以有若似聖人，欲以所事孔子事之，強曾子。曾子曰：『不可，江漢以濯之，秋陽以暴（pù）之[7]，皜（hào）皜乎不可尚已。』今也南蠻鴃（jué）舌之人[8]，非先王之道，子倍子之師而學之，亦異於曾子矣。吾聞出於幽谷遷於喬木者，未聞下喬木而入於幽谷者。《魯頌》曰：『戎狄是膺，荊舒是懲[9]。』周公方且膺之，子是之學，亦為不善變矣。」

「從許子之道，則市賈不貳，國中無偽。雖使五尺之童適市[10]，莫之或欺。布帛長短同，則賈相若；麻縷絲絮輕重同，則賈相若；五穀多寡同，則賈相若；屨大小同，則賈相若。」

曰：「夫物之不齊，物之情也。或相倍蓰（xǐ），或相什百，或相千萬。子比而同之，是亂天下也。巨屨（jù）小屨同賈，人豈為之哉？從許子之道，相率而為偽者也，惡能治國家？」

注釋

1 廛：民居。氓：從別處遷來的人。2 陳良：楚國的儒家人物。耒耜：翻土的農具。耜是起土的部分，耒為其柄。3 饔飧：熟食。這裏指做飯。饔，早餐。飧，晚餐。4 舍：止，不肯。宮：室，房。5 易：治。6 任：擔、負，指行李。7 秋：指周曆七、八月，相當於夏曆五、六月，正當盛暑。8 鴃舌：形容說話怪腔怪調像鳥叫一樣。9 荊：楚國的別名。舒：楚的屬國。10 五尺：大約相當於今天的三尺半。

譯文

有個做農家學問的人叫許行，從楚國來到滕國，上門對文公說：「我這個大老遠來的人聽說您正在實行仁政，希望得到一個住所，成為僑民。」

文公給了他房屋。

他的門徒有幾十個，都穿着麻衣，以編草鞋、織席子為生。

陳良的門徒陳相和他的弟弟陳辛，背着耒耜從宋國來到滕國，對文公說：「聽說您正在實行聖人的政治，這也是聖人了，我希望做聖人的僑民。」

陳相見了許行，十分高興，完全拋棄以前的學問而向許行學習。

陳相見了孟子，引述許行的話說：「滕君確實是個賢明的君主，儘管如此，他卻不真懂得道理。賢人是和老百姓一同耕作，才吃飯，自己做飯，又治國理政。現在滕國有糧倉，有庫房，這是殘害人民來養活自己，這又怎能稱得上賢明？」

孟子說：「許子一定自己種莊稼才吃飯嗎？」

陳相說：「對。」

「許子一定自己織布才穿衣嗎？」

陳相說：「不。許子穿麻衣。」

「許子戴帽子嗎？」

陳相說：「戴。」

孟子說：「戴甚麼帽子？」
陳相說：「戴白帽子。」
孟子說：「是自己織的嗎？」
陳相說：「不。是用糧食換來的。」
孟子說：「許子為甚麼不自己織呢？」
陳相說：「那會耽誤耕種。」
孟子說：「許子用釜甑做飯，用鐵器耕田嗎？」
陳相說：「對。」
「是自己造的嗎？」
陳相說：「不。是用糧食換來的。」
「農夫用糧食交換農具和器皿，不算殘害了陶匠和鐵匠。陶匠和鐵匠也用他們的農具和器皿交換糧食，難道這是殘害了農夫嗎？而且許子為甚麼不自己燒陶、打鐵？不肯做到所有東西都是從自己家裏取用？為甚麼忙忙叨叨地與各種工匠交換？為甚麼許子這麼不怕麻煩？」
陳相說：「各種工匠，本來就不能一邊耕種一邊又幹他們的事情。」
「那麼，難道治理天下可以一邊耕種一邊又幹他們的事情嗎？有官吏的事情，有平民的事情。而且一個人，就需要各行各業的產品。如果一定要自己造出來的才用，這是讓天下人疲於奔命。所以說：有人勞動腦力，有人勞動體力；勞動腦力的管理人，勞動體力的被人管理；被人管理的養活人，管理人的被人養活。這是天下通行的道理。

「在堯的時代，天下還不太平，洪水不循水道地亂流，到處氾濫。草木長得又快又茂密，禽獸成群地繁殖，五穀不熟，禽獸害人。野獸的蹄印和飛鳥的蹤跡，在中國縱橫交錯。堯一個人為此憂慮，選拔舜處理全部事務。舜命令伯益掌管火政，益在山野沼澤放火，燒掉草木，禽獸或逃跑或隱藏。禹又疏浚九條河道，疏導濟水和漯水，使之入海；導引汝水和漢水，疏通淮水和泗水，使之流入長江，這樣中國才可以種莊稼了。在那時候，禹在外八年，三次從家門口路過都沒進門，即使他想耕種，可能嗎？

「后稷教老百姓種莊稼，栽培五穀，五穀成熟而人民得到養育。人是有善良天性的，但吃飽了、穿暖了、住安逸了卻不加教育，就和禽獸差不多。聖人又為此憂慮，讓契做司徒，用倫理道德來教育人民：父子之間有慈愛，君臣之間有禮義，夫婦之間有區別，老少之間有等級，朋友之間有誠信。堯說：『敦促他們，糾正他們，幫助他們，使他們獲得自己的本性，又加以栽培和引導。』聖人為老百姓憂慮，到了這種地步，還有閒工夫來種莊稼嗎？

「堯把得不到舜作為自己的憂慮，舜把得不到禹和皐陶作為自己的憂慮。把百畝田地耕種得不好作為自己的憂慮，那是農夫。把錢財送給別人叫做惠，把善良教給別人叫做忠，為天下找到人才叫做仁。所以把天下讓給別人是容易的，為天下找到人才是困難的。孔子說：『偉大啊，堯做君主！只有天最偉大，只有堯效法天，那寬廣的氣象，老百姓沒辦法用言語來形容！了不起的君主啊，舜呀！光明正大地統治天下而毫不利己！』堯、舜治理天下，難道無所用心嗎？只不過不用於種莊稼罷了。

「我聽說過中原改變落後的蠻夷，沒聽說過中原被蠻夷改變的。陳良，是楚國人，喜愛周公、孔子的學說，北上到中原來學習。北方的學者，沒有人能超過他。他真是所謂豪傑之士啊。你們兄弟向他學習了幾十年，老師死後就背叛他。從前，孔子去世，弟子們守喪三年以後，收拾行李準備回家，進門向子貢作揖告別，大家相對而哭，泣不成聲，然後才各自回去。子貢回到墓地，在墓邊的靈場蓋了間房，又獨自住了三年，然後才回去。過些時候，子夏、子張、子游認為有若像孔子，就想要像服事孔子那樣服事他，強求曾子同意。曾子說：『不行的。老師就像在長江、漢水洗滌過，就像在夏天的烈日下暴曬過，光輝潔白得無以復加。』如今南方蠻族裏講鳥語的人，也來非難我們祖先聖王的學說，你竟背叛你的老師而向他學習，和曾子真不一樣啊。我聽説過飛出幽暗山谷而遷到高大樹木的，沒聽説過飛下高大樹木而進到幽暗山谷裏去的。《詩經．魯頌》裏說：『戎狄是要防範的，荊舒是要嚴懲的。』周公尚且要防範他們，你卻向他們學，真是不懂得用中國來改變蠻夷的道理啊。」

陳相說：「如果聽從許子的主張，就能做到市場上物價一致，國內沒有欺詐行為。即使打發五尺高的小孩到市場去，也沒人欺騙他。布帛的長短如果一樣，價格就相同；麻線絲綿的輕重如果一樣，價格就相同；穀物的多少如果一樣，價格就相同；鞋的大小如果一樣，價格就相同。」

孟子說：「貨物的品相品質各不相同，這是自然的；有的相差一倍五倍，有的相差十倍百倍，有的相差千倍萬倍。你要只以大小輕重相比而使它們價格相同，這是擾亂天下。粗糙的鞋和精細的鞋價格一樣，人難道肯幹嗎？聽從許子的主張，就是帶着大家作假，怎麼能夠治理好國家？」

5·5

墨者夷之因徐辟而求見孟子。孟子曰：「吾固願見，今吾尚病，病愈，我且往

見，夷子不來！」

他日，又求見孟子。孟子曰：「吾今則可以見矣。不直，則道不見（xiàn），我且直之。吾聞夷子墨者，墨之治喪也，以薄為其道也。夷子思以易天下，豈以為非是而不貴也。然而夷子葬其親厚，則是以所賤事親也。」

徐子以告夷子。

夷子曰：「儒者之道，古之人若保赤子[1]，此言何謂也？之則以為愛無差等，施由親始。」

徐子以告孟子。

孟子曰：「夫夷子信以為人之親其兄之子為若親其鄰之赤子乎？彼有取爾也。赤子匍匐將入井，非赤子之罪也。且天之生物也，使之一本，而夷子二本故也[2]。蓋上世嘗有不葬其親者，其親死，則舉而委之於壑。他日過之，狐狸食之，蠅蚋（ruì）姑嘬（chuài）之。其顙（sǎng）有泚（cǐ），睨（nì）而不視。夫泚也，非為人泚，中心達於面目，蓋歸反虆梩（léi lí）而掩之。掩之誠是也，則孝子仁人之掩其親，亦必有道矣。」

徐子以告夷子。夷子憮（wǔ）然為間，曰：「命之矣。」

注釋

1 若保赤子：語出《尚書・康誥》：「若保赤子，惟民其康乂。」2 一本、二本：孟子的意思是，人都是父母所生，這便是天所指定的唯一根源；而墨家主張愛無等差，就把父母和陌路人等同起來，所以說是「二本」。

譯文

墨家的信徒夷子通過徐辟求見孟子。孟子說：「我本來打算見他，可是我現在還病着，等我病好了，我就去見他，夷子不必來了。」

過些時候，夷子又求見孟子。孟子說：「我現在可以見他了。如果不直言，真理就不能顯現；我姑且直截了當地說。我聽說夷子是墨家的信徒，墨家辦喪事，以薄葬為原則；夷子想拿這個來改變天下的風俗，難道認為不這樣做就不可貴；但夷子埋葬他的父母卻是很豐厚的，那麼他是以自己所鄙薄的來服事父母了。」

徐子把這些話轉告夷子。

夷子說：「儒家的學說認為，古人『愛護百姓就像愛護嬰兒』，這話是甚麼意思呢？我認為意思就是愛沒有親疏厚薄的區別，只不過實行起來是從父母親開始的。」

徐子把這些話轉告孟子。

孟子說：「夷子真的以為一個人愛自己的兄弟的兒子同他愛鄰居家的嬰兒是一樣的嗎？那句話只是打個比方嘛。嬰兒在地上爬，快要掉到井裏去了，那不是嬰兒的罪過；老百姓犯了錯誤，也不是他的罪過。『愛護百姓就像愛護嬰兒』，是這個意思，不是說愛沒有親疏厚薄之別。而且天生養萬物，使萬物只有一個根源，而夷子卻有兩個根源。大概上古曾經有不埋葬父母親屍體的人。父母死了，就把屍體拋到山溝裏。過些時候他路過那裏，狐狸正吃着屍體，成群的蒼蠅蚊子正叮咬着屍體。他的額上出了汗，只敢斜視而不敢正視了。出汗呢，不是出給別人看的，是心裏的悲痛流露在臉上。大概他會回去取來簸箕、鐵鍬把屍體掩埋了。掩埋了屍體就對了。那麼，孝子、仁人掩埋父母親的屍體，必然有他的道理啊。」

徐子把這些話轉告夷子。夷子悵然若失，過了一會兒，說：「他教我懂得道理了。」

卷六 滕文公下

本篇導讀——

共十章。第一、二、三、七、十各章，都涉及對士的出處去就問題的論述。孟子在與時人和弟子的交談中，不止一次遇到對「不見諸侯」的做法表示懷疑或不解。從孟子的解釋看來，他的態度包含兩個方面：既要保持人格的獨立與自尊，但也不故作清高，擺出一副拒人於門外的架子。在第三章所記與周霄的問答中，孟子道出了這兩方面態度的深層動因：君子急於出仕，但又必須走正道。他的意思，一是手段與途徑必須講原則，和第一章中對「枉尺而直尋」的批評聯繫起來，這裏顯示了孟子反對以利益衡量行為的主張，我們可以稱之為「非功利的道德觀」；二是君子必須用世而有為，我們可以稱之為「實踐品格」。非功利的道德觀使孟子保持着人格的獨立與自尊，入世的實踐品格又使孟子在待人接物中具有一定彈性，對段干木、泄柳、陳仲子等廉士的批評，正是基於這一立場。這兩個互為補充的方面，也就是儒家的「中庸」

原則在出處問題上的具體表現。而通過第九章，則可了解孟子與楊朱、墨翟學說的分歧所在，也可見他以「正人心，息邪說」自命的道義擔待，這正是孟子一生理想所繫。

6.1

陳代曰：「不見諸侯，宜若小然。今一見之，大則以王，小則以霸。且《志》曰：『枉尺而直尋』，宜若可為也。」

孟子曰：「昔齊景公田，招虞人以旌[1]，不至，將殺之。志士不忘在溝壑，勇士不忘喪其元。孔子奚取焉？取非其招不往也。如不待其招而往，何哉？且夫枉尺而直尋者，以利言也。如以利，則枉尋直尺而利，亦可為與？昔者趙簡子使王良與嬖奚乘，終日而不獲一禽。嬖奚反命曰：『天下之賤工也。』或以告王良。良曰：『請復之。』強而後可，一朝而獲十禽。嬖奚反命曰：『天下之良工也。』簡子曰：『我使掌與女乘。』謂王良。良不可，曰：『吾為之範我馳驅，終日不獲一；為之詭遇，一朝而獲十。《詩》云：「不失其馳，舍矢如破[2]。」我不貫與小人乘，請辭。』御者且羞與射者比，比而得禽獸，雖若丘陵，弗為也。如枉道而從彼，何也？且子過矣！枉己者，未有能直人者也。」

注釋

1 招虞人以旌：古代君王有所召喚，視所召喚者的身份地位出示相應的信物，旌是召喚大夫所用，召喚虞人該用皮冠。虞人，守苑囿的吏。2 舍矢：發箭。如：而。破：破的，指射中獵物。

譯文

陳代說：「不去謁見諸侯，似乎太小氣了吧；如今去見一見，大可以行仁政使天下歸服，小可以憑武力稱霸中國。況且《志》說：『委曲一尺而伸張八尺』，好像是可行的。」

孟子說：「從前齊景公打獵，用旌旗召喚管獵場的人，那人不來，齊景公要殺他。有志之士不怕棄屍溝壑，勇敢的人不怕丟掉腦袋。孔子贊同他甚麼？就是贊同這點：違背禮的召喚，他不去。假如不等待人家的召喚就去，那算甚麼？況且所謂委曲一尺而伸張八尺，這是根據功利來說的。如果以功利為根據，那麼，委曲八尺伸張一尺而有利，也可以做嗎？從前趙簡子命令王良為他的寵倖小臣奚駕車，一整天都沒有獵獲一隻禽獸。小臣奚回去稟告說：『王良是個拙劣的駕車人。』有人把這話告訴王良。王良說：『請讓我再來一次。』奚勉強同意了，一個上午就獵獲了十隻禽獸。小臣奚回去稟告說：『王良是個了不起的駕車人。』趙簡子說：『我讓他專門為你駕車。』就跟王良說。王良不同意，說：『我為他規規矩矩駕車，一整天打不着一隻；為他不守規矩駕車，一個上午就打着了十隻。《詩經》說：「跑起車來中規矩，發出箭去必破的。』我不習慣為小人駕車，請允許我推辭。』駕車人尚且羞於跟壞射手合作，合作而獵獲禽獸，即使是堆積如山，也不幹。假如委曲真理而跟從諸侯，那又算甚麼？況且你錯了！自己不正直的，從來沒有能使別人正直的。」

6.2

景春曰：「公孫衍、張儀豈不誠大丈夫哉？一怒而諸侯懼，安居而天下熄。」

孟子曰：「是焉得為大丈夫乎？子未學禮乎？丈夫之冠也，父命之；女子之嫁也，母命之，往送之門，戒之曰：『往之女家，必敬必戒，無違夫子！』以順為正者，妾婦之道也。居天下之廣居，立天下之正位，行天下之大道；得志，與民由之；不得志，獨行其道。富貴不能淫[1]，貧賤不能移，威武不能屈，此之謂大丈夫。」

注釋

1 淫：過分，指態度傲慢驕狂。

譯文

景春說：「公孫衍、張儀難道不是真正的大丈夫嗎？他們一發怒，諸侯就害怕；他們安定下來，天下的戰火就熄滅。」

孟子說：「這哪裏稱得上大丈夫呢？你沒學過禮嗎？男子舉行成人加冠禮的時候，父親訓導他；女子出嫁的時候，母親訓導她，送她到門口，告誡她說：『到了你家，一定要恭敬，一定要警惕，不要違背丈夫！』把順從當作正確，這是婦女的原則。住在天下最寬廣的住宅（仁）裏，站在天下最中正的位置（禮）上，走在天下最開闊的大路（義）上；得志的時候，和老百姓一道走；不得志的時候，自己走自己的路。富貴不能使他驕狂，貧賤不能改變他的心志，威武不能使他屈服，這樣才叫做大丈夫。」

賞析與點評

處當今之世，如能做到「富貴不能淫，貧賤不能移，威武不能屈」，意志不為金錢、地位所迷惑，更為難得，更是有骨氣的「大丈夫」。

6.3

周霄問曰：「古之君子仕乎？」

孟子曰：「仕。《傳》曰：『孔子三月無君，則皇皇如也，出疆必載質[1]。』

公明儀曰：『古之人三月無君，則吊。』」

「三月無君則吊，不以急乎？」

曰：「士之失位也，猶諸侯之失國家也。《禮》曰：『諸侯耕助[2]，以供粢盛（zī chéng），夫人蠶繅（sāo），以為衣服。犧牲不成，粢盛不絜，衣服不備，不敢以祭。惟士無田，則亦不祭。』牲殺、器皿、衣服不備，不敢以祭，則不敢以宴，亦不足吊乎？」

「出疆必載質，何也？」

曰：「士之仕也，猶農夫之耕也。農夫豈為出疆舍其耒耜哉？」

曰：「晉國亦仕國也[3]，未嘗聞仕如此其急。仕如此其急也，君子之難仕，何也？」

曰：「丈夫生而願為之有室，女子生而願為之有家。父母之心，人皆有之。不待父母之命、媒妁之言，鑽穴隙相窺，逾牆相從，則父母國人皆賤之。古之人未嘗不欲仕也，又惡不由其道。不由其道而往者，與鑽穴隙之類也。」

注釋

1 質：通「贄」，指見面禮。2 助：即「藉」，指藉田，天子和諸侯都有藉田，天子千畝，諸侯百畝。3 晉國：指魏國。戰國時韓、趙、魏三國，係由晉國分出，稱為「三晉」，故魏國自稱為晉。

譯文

周霄問道：「古代的君子做官嗎？」

孟子說：「做官。《傳》說：『孔子三個月沒有君主任用他，就憂心忡忡，離開一個國家一定帶着備用的見面禮。』公明儀說：『古代的人，三個月沒有君主任用，就要去安慰他。』」

「三個月沒有君主任用，就要去安慰他，不是太着急了嗎？」

孟子說：「士人失去官位，就好比諸侯失掉了國家。《禮》說：『諸侯親自耕種藉田，來供給祭品；夫人親自養蠶繅絲，來供給祭服。牲畜不肥壯，穀物不乾淨，祭服不具備，就不敢祭祀。士如果沒有田地，那也不能祭祀。』牲畜、祭器、祭服不具備，不敢祭祀，那也就不敢辦宴會，這還不該去安慰他嗎？」

「離開一個國家一定帶着備用的見面禮，這又是為甚麼？」

孟子說：「士人做官，就好比農夫耕田；農夫難道因為離開一個國家就扔掉他的耒和耜嗎？」

周霄說：「魏國也是一個有官可做的國家，我卻不曾聽說做官要這麼着急的。做官既然是這麼急迫的事，君子卻不輕易做官，為甚麼？」

孟子說：「男孩子，生下來便希望為他找到妻室，女孩子，生下來便希望為她找到婆家；父母親的這種心情，人人都有。但是，如果沒有父母的命令、媒人的言語，就鑽門洞、扒門縫互相窺視，爬牆相會，那麼，父母和其他人就都會看不起他。古代的人不是不想做官，但又厭惡不從正道找官做。不從正道去做官的，跟鑽門洞、扒門縫是一樣的。」

‖6.4

彭更問曰：「後車數十乘，從者數百人，以傳（zhuàn）食於諸侯，不以泰乎？」

孟子曰：「非其道，則一簞食不可受於人；如其道，則舜受堯之天下，不以為泰——子以為泰乎？」

曰：「否！士無事而食，不可也。」

曰：「子不通功易事，以羨補不足，則農有餘粟，女有餘布；子如通之，則梓匠輪輿皆得食於子。於此有人焉，入則孝，出則悌，守先王之道，以待後之學者，而不得食於子。子何尊梓匠輪輿而輕為仁義者哉？」

曰：「梓匠輪輿，其志將以求食也；君子之為道也，其志亦將以求食與？」

曰：「子何以其志為哉？其有功於子，可食而食之矣。且子食志乎？食功乎？」

曰：「食志。」

曰：「有人於此，毀瓦畫墁（màn），其志將以求食也，則子食之乎？」

曰：「否。」

曰：「然則子非食志也，食功也。」

譯文

彭更問道：「跟隨其後的車有幾十輛，跟從其後的人有幾百人，在諸侯之間轉來轉去找飯吃，這不是太過分了嗎？」

孟子說：「如果不符合原則，那就一筐飯也不從別人那裏接受；如果符合原則，那麼，舜接受堯的天下，也不以為過分——你認為過分嗎？」

彭更說：「不對的，士人不幹活就吃飯，是不可以的。」

孟子說：「你如果不讓各種行當互通有無，交換成果，用多餘的來補充不足的，農民就有多餘的糧食，婦女就有多餘的布帛；你如果讓他們互通有無，那麼，木匠和車工就都可以從你那裏得到吃的。這裏有個人，在家就孝敬父母，在外就尊敬長輩，嚴守着古代聖王的道義，等待將來的讀書人發揚光大，卻不能從你那裏得到吃的；你為甚麼尊重工匠和車工而輕視實行仁義的人呢？」

彭更說：「工匠和車工，他們的動機就是謀飯吃；君子實行道義，他們的動機也是謀飯吃嗎？」

孟子說：「你為甚麼要論動機呢？如果他們對你有功勞，可以給吃的就給他們吃的好了。而且你是為了報答動機給飯吃，還是為了報答功勞給飯吃？」

彭更說：「報答動機。」

孟子說：「有人在這裏，毀壞屋瓦，在新刷的牆上亂畫，他的動機是謀飯吃，那你給他飯吃嗎？」

彭更說：「不。」

孟子說：「那麼，你不是為了報答動機給飯吃，而是為了報答功勞給飯吃。」

6.5

萬章問曰：「宋，小國也，今將行王政，齊楚惡而伐之，則如之何？」

孟子曰：「湯居亳（bó），與葛為鄰。葛伯放而不祀。湯使人問之曰：『何為不祀？』曰：『無以供犧牲也。』湯使遺之牛羊。葛伯食之，又不以祀。湯又使人問之曰：『何為不祀？』曰：『無以供粢盛也。』湯使亳眾往為之耕，老弱饋食。葛伯率其民，要其有酒食黍稻者奪之，不授者殺之。有童子以黍肉餉，殺而奪之。《書》曰：『葛伯仇餉。』此之謂也。為其殺是童子而征之，四海之內皆曰：『非富天下也，為匹夫匹婦復讎也。』湯始征，自葛載[1]，十一征而無敵於天下。東面

而征，西夷怨；南面而征，北狄怨。曰：『奚為後我？』民之望之，若大旱之望雨也。歸市者弗止，芸者不變，誅其君，吊其民，如時雨降。民大悅。《書》曰：『徯我後，後來其無罰！』『有攸不惟臣，東征，綏厥士女，篚厥玄黃，紹我周王見休，惟臣附於大邑周。』其君子實玄黃於篚以迎其君子，其小人簞食壺漿以迎其小人。救民于水火之中，取其殘而已矣。《太誓》曰[2]：『我武惟揚，侵于之疆[3]，則取于殘，殺伐用張，于湯有光。』不行王政云爾。苟行王政，四海之內皆舉首而望之，欲以為君，齊、楚雖大，何畏焉？」

注釋

1 載：開始。2《太誓》：《尚書》篇名。3 于：古國名，即「邘」。

譯文

萬章問道：「宋，是個小國；如今要實行仁政，齊國、楚國厭惡它而加以討伐，怎麼辦？」

孟子說：「湯住在亳，和葛國是鄰國，葛伯放肆，不舉行祭祀。湯派人問他：『為甚麼不祭祀？』他說：『沒有祭祀用的牲畜。』湯派人送他牛羊。葛伯吃掉了牛羊，卻不用來祭祀。湯又派人問他：『為甚麼不祭祀？』他說：『沒有祭祀用的穀米。』湯派亳的老百姓去為他耕種，老弱的人為他們送飯。葛伯帶着他的老百姓，攔住那些帶着酒食黍稻的送飯者，搶奪他們，不給的就殺掉。有個孩子去送飯和肉，葛伯竟把他殺了，搶走飯和肉。《尚書》說：『葛伯仇視送飯者。』說的就是這個。湯為了葛伯殺掉這個小孩子而討伐他，四海之內都說：『他不是為天下的財富，而是為平民百姓報仇。』湯的征伐，從葛國開始，出征十一次而無敵於天下。他向東邊出征，西邊各族的老百姓就埋怨；他向南邊出征，北邊各族的老百姓就埋怨，說，『怎麼把我們放在後面？』老百姓盼望他，就像大旱時節盼望下雨。做生意的沒停過買賣，種田的照樣下地。湯殺掉他們的君主，安撫當地的人民，這也和及時的雨落下來一樣，老百姓很高興。《尚書》說：『等待我們的王，王來了我們就不再受刑罰！』又說：『攸國不肯臣服，周王就向東征伐，安撫那裏的男男女女，他們把黑色的、黃色的布帛盛滿了筐篚，請求介紹自己一見周王，得到光榮，希望臣服於大周國。』當地的官員把黑色的、黃色的布帛盛滿了筐篚來迎接官員，當地的百姓用簞盛着飯，用壺盛着酒漿來迎接士卒；周王出師把老百姓從水火之中解救出來，只收拾那殘暴的君主。《太誓》說：『我們的威武大發揚，攻入邗國的疆界，收拾邗國的暴君，於是有伸張正義的殺伐，比起湯來更輝煌。』不實行仁政就罷了；如果實行仁政，四海之內的人們都抬頭盼望他，要讓他來做君王；齊國和楚國縱然強大，有甚麼可怕的呢？」

孟子謂戴不勝曰：「子欲子之王之善與？我明告子。有楚大夫於此，欲其子之齊語也，則使齊人傅諸？使楚人傅諸？」

曰：「使齊人傅之。」

曰：「一齊人傅之，眾楚人咻（xiū）之，雖日撻而求其齊也，不可得矣；引而置之莊嶽之間數年，雖日撻而求其楚，亦不可得矣。子謂薛居州，善士也，使之居於王所。在於王所者，長幼卑尊皆薛居州也，王誰與為不善？在王所者，長幼卑尊皆非薛居州也，王誰與為善？一薛居州，獨如宋王何？」

譯文

孟子對戴不勝說：「你要你的王學好嗎？我明白告訴你。假如有個楚國的大夫在這裏，要他的兒子學會齊國話，那麼，讓齊國人教他，還是讓楚國人教他？」

戴不勝說：「讓齊國人教他。」

孟子說：「一個齊國人教他，許多楚國人向他嚷嚷，即使天天鞭打他，逼他說齊國話，他也辦不到；帶着他到莊街嶽里住上幾年，即使天天鞭打他，逼他說楚國話，他同樣也是辦不到的。你說薛居州是個好人，讓他住在王宮裏。如果住在王宮裏的人，不論老少尊卑都是薛居州，王和誰去做壞事？如果住在王宮裏的人，不論老少尊卑都不是薛居州，王和誰去做好事？一個薛居州，能把宋王怎麼樣呢？」

公孫丑問曰：「不見諸侯，何義？」

孟子曰：「古者不為臣不見。段干木踰（yú）垣而辟之，泄柳閉門而不納，是皆已甚；迫，斯可以見矣。陽貨欲見孔子而惡無禮。大夫有賜於士，不得受於其家，則往拜其門。陽貨瞰（kàn）孔子之亡也[1]，而饋孔子蒸豚。孔子亦瞰其亡也，而往拜之。當是時，陽貨先，豈得不見？曾子曰：『脅肩諂笑，病於夏畦（qí）。』子路曰：『未同而言，觀其色赧（nǎn）赧然，非由之所知也。』由是觀之，則君子之所養，可知已矣。」

注釋

1 瞰：窺伺，看望。

譯文

公孫丑問道：「不去謁見諸侯，是甚麼道理？」

孟子說：「古時候，不是臣屬的話，就不去謁見。段干木翻牆以躲避魏文侯，泄柳關起門來不接見魯穆公，這都太過分了。如果對方勉強要見，是可以見的。陽貨要孔子來見，又不願自己失禮。大夫對士有所賞賜，士如果沒能在家裏親自接受，就該前往大夫家裏去拜謝。於是陽貨就等孔子不在家時，送小蒸豬給孔子。孔子也等陽貨不在家時，前往拜謝。在這個時候，如果陽貨先來見孔子，孔子難道不見他？曾子說：『聳着肩膀，做出媚笑，比夏天在菜園裏幹活還累。』子路說：『跟別人不同道，卻又上去搭話，看他的臉色，還一副慚愧的樣子，這我就不懂了。』由此來看，君子怎樣修身養性，可以懂得了。」

6.8

戴盈之曰：「什一，去關市之征，今茲未能[1]，請輕之，以待來年，然後已，何如？」

孟子曰：「今有人日攘其鄰之雞者，或告之曰：『是非君子之道。』曰：『請損之，月攘一雞，以待來年，然後已。』如知其非義，斯速已矣，何待來年？」

注釋

1 茲：年。

譯文

戴盈之說：「地租以十分抽一為税率，免除關卡和集市的賦税，今年還辦不到，請讓我們先減輕一些，等到來年，然後完全實行，怎麼樣？」

孟子說：「現在有個人每天偷鄰居家的雞，有人告訴他說：『這不是君子的做法。』他說：『請讓我減少一些，每個月偷一隻雞，等到來年，然後完全改正。』如果知道做法不合道義，就趕快完全改掉啦，為甚麼要等到來年？」

公都子曰：「外人皆稱夫子好辯，敢問何也？」

孟子曰：「予豈好辯哉？予不得已也。天下之生久矣，一治一亂。當堯之時，水逆行，氾濫於中國，蛇龍居之，民無所定。下者為巢，上者為營窟。《書》曰：『洚（hóng）水警余。』洚水者，洪水也。使禹治之。禹掘地而注之海，驅蛇龍而放之菹（zū）。水由地中行，江、淮、河、漢是也。險阻既遠，鳥獸之害人者消，然後人得平土而居之。

「堯、舜既沒，聖人之道衰，暴君代作。壞宮室以為洿池，民無所安息；棄田以為園囿，使民不得衣食。邪說暴行又作，園囿、洿池、沛澤多而禽獸至。及紂之身，天下又大亂。周公相武王誅紂，伐奄三年討其君，驅飛廉於海隅而戮之[1]，滅國者五十，驅虎、豹、犀、象而遠之，天下大悅。《書》曰：『丕顯哉[2]，文王謨！丕承哉，武王烈！佑啟我後人，咸以正無缺。』

「世衰道微，邪說暴行有作，臣弒其君者有之，子弒其父者有之。孔子懼，作《春秋》。《春秋》，天子之事也。是故孔子曰：『知我者其惟《春秋》乎！罪我者其惟《春秋》乎！』

「聖王不作，諸侯放恣，處士橫議，楊朱、墨翟之言盈天下。天下之言不歸楊，則歸墨。楊氏為我，是無君也；墨氏兼愛，是無父也。無父無君，是禽獸也。公明儀曰：『庖有肥肉，廄有肥馬；民有飢色，野有餓莩（piǎo），此率獸而食人也。』楊墨之道不息，孔子之道不著，是邪說誣民，充塞仁義也。仁義充塞，則率獸食人，人將相食。吾為此懼，閑先聖之道，距楊墨，放淫辭，邪說者不得作。作於其心，害於其事；作於其事，害於其政。聖人復起，不易吾言矣。

「昔者禹抑洪水而天下平，周公兼夷狄，驅猛獸而百姓寧，孔子成《春秋》而亂臣賊子懼。《詩》云：『戎狄是膺，荊舒是懲，則莫我敢承。』無父無君，是周公所膺也。我亦欲正人心，息邪說，距詖行，放淫辭，以承三聖者，豈好辯哉？予不得已也。能言距楊、墨者，聖人之徒也。」

注釋　1 飛廉：傳說中善跑的人，為紂王所用。2 丕：大。

譯文　公都子說：「別人都說先生喜歡辯論，請問這是為甚麼呢？」

孟子說：「我難道喜歡辯論嗎？我是不得已啊。天下有人類以來很久了，太平一時，動亂一時。在堯的時候，水倒流，在中國氾濫，陸地成為蛇和龍的居所，使老百姓無處安身；低地的人在樹上做巢，高地的人挖洞穴而居。《尚書》說：『洚水警告我們。』洚水就是洪水。堯讓禹來治水。禹挖地而把水導流入海，把蛇和龍趕到多草的沼澤；水從大地上穿行而過，這就是長江、淮河、黃河、漢水。險阻遠離了人類，害人的鳥獸消滅了，從此以後人才能在平地上居住。

「堯、舜死後，聖人之道衰落，暴君一代又一代地出現，他們毀壞房屋來造深池，老百姓無處安身；荒廢農田來建園林，使老百姓得不到吃穿。這時又出現荒謬的學說、殘暴的行為。園林、深池、沼澤一多，禽獸也跟着來了。到了紂的時候，天下又大亂。周公輔佐武王殺掉紂，又討伐奄國三年，殺掉奄國的國君，把飛廉趕到海邊殺掉了他。滅了五十個國家，把老虎、豹子、犀牛、大象趕到遠方。天下人很高興。《尚書》說：『偉大而顯赫啊，文王的謀略！偉大的繼承者啊，武王的功烈！庇佑我們，啟發我們，直到後代，使大家都正確而沒有錯誤。』

「時世衰落，道義微茫，荒謬的學說和殘暴的行為又出現了，有臣子殺掉他的君主的，有兒子殺掉他的父親的。孔子為此憂慮，寫了《春秋》。《春秋》說的是天子的事情。所以孔子說：『了解我的可以只憑《春秋》這部書了！怪罪我的也可以只憑《春秋》這部書了！』

「從此聖王不曾出現過，諸侯放肆縱恣，一般讀書人也亂發議論，楊朱、墨翟的學說充滿了天下。天下種種議論，不是歸附楊朱，就是歸附墨翟。楊氏講的是『為我』的道理，這叫不把君主當回事；墨氏講的是『兼愛』的道理，這叫不把父親當回事。目中無父，目中無君，這是禽獸啊。公明儀說：『廚房裏有肥肉，馬廄裏有肥馬，但是老百姓面有飢色，田野上有餓死的屍體，這是帶領野獸吃人。』楊、墨的學說不消滅，孔子的學說就不能發揚，這就是荒謬的學說在欺騙百姓，堵塞了仁義的道路。仁義的道路被堵塞，就等同帶領禽獸吃人，人們之間互相殘殺。我為此憂慮，因而捍衛古代聖人的學說，抵制楊、墨，駁斥誇誕的言論，使發佈謬論的人起不來。種種謬論從心裏產生，就會妨害行動；妨害了行動，也就妨害了政治。如果聖人再起，也不會拋棄我的這番話。

「從前禹平息了洪水而天下太平，周公兼併了夷狄，趕跑了猛獸而百姓安寧，孔子作成了《春秋》而叛亂的臣子、作逆的兒子感到害怕。《詩經》說：『戎狄是要防範的，荊舒是要嚴懲的，那就沒有人能抵禦我。』目中無父、目中無君，是周公所防範的。我也要端正人心，抑制謬論，反對偏激的行為，駁斥誇誕的言論，來繼承這三位聖人。我難道喜歡辯論嗎？我是不得已啊。」能夠用言論來反對楊、墨的，也就是聖人的門徒了。

6.10

匡章曰：「陳仲子豈不誠廉士哉？居於（wū）陵，三日不食，耳無聞，目無見也。井上有李，螬食實者過半矣，匍匐往，將食之，三咽，然後耳有聞，目有見。」

孟子曰：「於齊國之士，吾必以仲子為巨擘（bò）焉[1]。雖然，仲子惡能廉？充仲子之操，則蚓而後可者也。夫蚓，上食槁壤，下飲黃泉[2]。仲子所居之室，伯夷之所築與？抑亦盜蹠（zhí）之所築與？所食之粟，伯夷之所樹與？抑亦盜蹠之所樹與？是未可知也。」

曰：「是何傷哉？彼身織屨，妻辟纑（lú），以易之也。」

曰：「仲子，齊之世家也，兄戴，蓋（gě）祿萬鍾。以兄之祿為不義之祿而不食也，以兄之室為不義之室而不居也，辟兄離母，處於於陵。他日歸，則有饋其兄生鵝者，己頻顣（cù）曰：『惡用是鶃（yì）鶃者為哉[3]？』他日，其母殺是鵝也，與之食之。其兄自外至，曰：『是鶃鶃之肉也。』出而哇之。以母則不食，以妻則食之；以兄之室則弗居，以於陵則居之，是尚為能充其類也乎？若仲子者，蚓而後充其操者也。」

注釋　1 巨擘：大拇指。這裏比喻傑出的人物。2 黃泉：指地下的泉水。3 鶃鶃：鵝鳴聲。

譯文　匡章說：「陳仲子難道不是個廉潔的士人嗎？住在於陵，三天沒吃東西，餓得耳朵聽不見，眼睛看不着。井上有個李子，被金龜子吃了大半，他爬過去，取來吃下，咽了三口，耳朵才聽得見了，眼睛才看得着了。」

孟子說：「在齊國的士人中，我一定把陳仲子當作大拇指。儘管這樣，仲子怎能算作廉潔呢？要擴充仲子的操守，那一定得當蚯蚓才可以。蚯蚓，在地上就吃乾土，在地下就飲黃泉。仲子所住的房子，是伯夷那樣廉潔的人所建築的呢？還是盜蹠那樣的強盜所建築的呢？所吃的穀米，是伯夷那樣廉潔的人所種的呢？還是盜蹠那樣的強盜所種的呢？這還不知道呢。」

匡章說：「這有甚麼關係呢？他親自編織草鞋，他的妻子績麻練麻，用這些來換生活用品。」

孟子說：「仲子是齊國的大家族；他的哥哥陳戴，從蓋邑得的俸祿有幾萬石；他把哥哥的俸祿看作不義之祿而不吃，把哥哥的房屋看作不義之室而不住。避開哥哥，離開母親，住在於陵。有一天回家，有個人送給他哥哥活鵝，仲子就皺縮着眉鼻說：『哪裏用得着這個嗷嗷叫的東西？』過些時候，他的母親殺了這隻鵝，給他吃。他的哥哥從外面回來，說：『這就是那嗷嗷叫的東西的肉呀。』仲子出去吐掉了。母親的東西不吃，妻子的東西就吃；哥哥的房子不住，於陵的房子就住，這還能算擴充操守嗎？像仲子這樣的人，當了蚯蚓才能擴充他的操守呢。」

卷七 離婁上

本篇導讀——

共二十八章，多數是格言式的短章，談論較多的是仁義的功利性價值。孟子指出，不管是個人的榮辱安危，還是國家的興廢存亡，都取決於是否行仁義之道。因此，對個人而言，道德修養的關鍵在於「反求諸己」，即通過自我反省和修養，獲得信任，最後達到治民的目標。第十二章所提出的「誠」，是孟子思想中一個重要的概念，它表淺的含義是待人誠實無偽，由此出發，就可以「悦親」、「信於友」、「獲於上」、「治民」，這就是儒家所標舉的由「內聖」而「外王」的道路。關於仁政，本篇第九章重申了得民心者得天下的主張，而得民心的根本，則在於為民興利除害；第六和第十三章，具體説明統治者應禮遇賢明的公卿巨室和德高望重的老者，也是從得民心的角度考慮的。

孟子曰：「離婁之明[1]，公輸子之巧，不以規矩，不能成方圓；師曠之聰[2]，不以六律[3]，不能正五音[4]；堯、舜之道，不以仁政，不能平治天下。今有仁心仁聞（wèn）而民不被其澤，不可法於後世者，不行先王之道也。故曰：徒善不足以為政，徒法不能以自行。《詩》云：『不愆（qiān）不忘，率由舊章。』遵先王之法而過者，未之有也。聖人既竭目力焉，繼之以規矩準繩，以為方員平直，不可勝用也；既竭耳力焉，繼之以六律正五音，不可勝用也；既竭心思焉，繼之以不忍人之政，而仁覆天下矣。故曰：為高必因丘陵，為下必因川澤，為政不因先王之道，可謂智乎？是以惟仁者宜在高位。不仁而在高位，是播其惡於眾也。上無道揆（kuí）也，下無法守也，朝不信道，工不信度，君子犯義，小人犯刑，國之所存者幸也。故曰：城郭不完，兵甲不多，非國之災也；田野不辟，貨財不聚，非國之害也。上無禮，下無學，賊民興，喪無日矣。《詩》曰：『天之方蹶（guì），無然泄（yì）泄[5]。』泄泄猶沓（tà）沓也。事君無義，進退無禮，言則非先王之道者，猶沓沓也。故曰：責難於君謂之恭，陳善閉邪謂之敬，吾君不能謂之賊。」

注釋

1 離婁：相傳是黃帝時目力極強的人。2 師曠：春秋時著名音樂家，晉平公的太師，生而目盲，善辨音樂。3 六律：相傳黃帝時伶倫截竹為管，以管的長短分別聲音的高低清濁，樂器的音調均以之為準，此即標示絕對音高的樂律。樂律共十二，陰陽各六。六律指六個陽律，即黃鐘、太蔟、姑洗、蕤賓、夷則、無射。4 五音：指宮、商、角、徵、羽五個音階。5 泄泄：多語的樣子。

譯文

孟子說：「離婁眼神好，公輸般技巧高，但如果不靠規和矩，也不能畫成方和圓；師曠耳力聰敏，但如果不依據六律，也不能校正五音；就是有堯、舜之道，如果不憑藉仁政，也不能使天下太平。如今有些諸侯儘管有仁愛的心腸、仁愛的聲譽，但老百姓卻沒有受到他的恩澤，他也不能被後世效法，之所以如此，就是因為不實行前代聖王之道的緣故。所以說，只有好心不足以搞政治，只有法度不足以自動運行。《詩經》說：『沒有過失沒有疏漏，一切遵循先王的典章。』遵循先王的法度而犯錯誤的，從來沒有過。聖人既已用盡了目力，又接着用規、矩、準、繩，來製作方的、圓的、平的、直的東西，這些東西用都用不完；既已用盡了耳力，又接着用六律來校正五音，這些音階也就運用無窮；既已用盡了心思，又接着推行不忍心別人受苦的仁政，仁愛也就覆蓋天下了。所以說，建高臺一定要憑藉丘陵，挖深池一定要憑藉沼澤；搞政治不憑藉前代聖王之道，能說是明智嗎？因此只有仁人可以處在統治的地位。不仁的人如果處在統治的地位，這就會在民眾中散佈他的罪惡。在上的沒有道義準則，在下的不守法令制度，朝廷不相信道義，工匠不相信尺度，官員觸犯義理，百姓觸犯刑法，而國家還能生存的，那是僥倖。所以說，城牆不堅固，兵器甲冑不夠多，不是國家的災難；田野尚未開闢，錢財不夠集中，不是國家的禍害。在上的不講禮，在下的沒學問，刁民紛紛興起，國家的滅亡也就快了。《詩經》上說：『上天正在震動，不要這樣多話。』多話，就是喋喋不休。服事君主不講義，進退出入不守禮，說起話來便非難先王之道，這就是喋喋不休。所以說，要求君主克服困難，這叫『恭』；陳述美善的道理而抑制謬論，這叫『敬』；以為自己的君主不能行善，這叫『賊』。」

賞析與點評

「不以規矩，不能成方圓。」國不可一日無法，家不可一日無規。允許追求自由，追求個性發展，但自由是相對的，正如有英文所講：Freedom is not free。「惟仁者宜在高位。不仁而在高位，是播其惡於眾也。」為政為官首先應加強自身修養，做到為公不為私、為民不為己。

孟子曰：「規矩，方員之至也；聖人，人倫之至也。欲為君，盡君道；欲為臣，

盡臣道。二者皆法堯、舜而已矣。不以舜之所以事堯事君，不敬其君者也；不以堯之所以治民治民，賊其民者也。孔子曰：『道二，仁與不仁而已矣。』暴其民甚，則身弒國亡；不甚，則身危國削，名之曰『幽』、『厲』[1]，雖孝子慈孫，百世不能改也。《詩》云：『殷鑒不遠，在夏后之世』，此之謂也。」

注釋

1 幽、厲：指周幽王、周厲王，都是含貶義的謚號。

譯文

孟子說：「規和矩，是方與圓的極致；聖人，是處理人際關係的極致。要做君王，便該盡君道；要做臣，便該盡臣道。二者都效法堯、舜就足夠了。不用舜服事堯的態度和方式來服事君主，就是對君主不恭敬；不用堯統治百姓的態度和方式來統治百姓，就是殘害百姓。孔子說：『路只有兩條，仁和不仁，如此而已。』暴虐百姓嚴重的，就會自己被殺，國家滅亡；不嚴重的，也會自己遭遇危險，國家受到削弱，死後人們給他們『幽』、『厲』這樣的謚號，即使有孝子賢孫，經歷一百代也改不掉這個壞名聲。《詩經》上說：『殷商的借鑒並不遙遠，就在夏王桀的時代』，就是這個意思。」

孟子曰：「三代之得天下也以仁，其失天下也以不仁。國之所以廢興存亡者亦然。天子不仁，不保四海；諸侯不仁，不保社稷；卿大夫不仁，不保宗廟；士庶人不仁，不保四體。今惡死亡而樂不仁，是猶惡醉而強（qiǎng）酒。」

譯文

孟子說：「夏商周三代得天下是因為仁，失天下是因為不仁。國家之所以衰落、興盛、生存、滅亡也都是這個道理。天子如果不仁，就不能保有天下；諸侯如果不仁，就不能保有國家；卿大夫如果不仁，就不能保有祖廟；士人和普通老百姓如果不仁，就不能保全自己的身體。現在是厭惡死亡而喜歡不仁，這猶如厭惡醉酒卻又使勁喝酒一樣。」

賞析與點評

「天子不仁，不保四海；諸侯不仁，不保社稷；卿大夫不仁，不保宗廟；士庶人不仁，不保四體。」一言以蔽之，得民心者得天下。

孟子曰：「愛人不親，反其仁；治人不治，反其智；禮人不答，反其敬。行有

不得者皆反求諸己，其身正而天下歸之。《詩》云：『永言配命，自求多福。』」

譯文　孟子說：「愛別人，別人卻不親近自己，那就反過來檢討自己是否夠仁愛；管理別人，卻管理不好，那就反過來檢討自己是否夠明智；對別人有禮，別人卻不回應，那就反過來檢討自己是否夠恭敬。凡是行為有不能達到預期效果的，都反過來在自己身上找原因，自己端正了，天下的人自然歸向他。《詩經》上說：『永遠配合天的命令，自己尋求盛多的福。』」

7·5

孟子曰：「人有恆言，皆曰『天下國家』。天下之本在國，國之本在家，家之本在身。」

譯文　孟子說：「人們有句老話，都說『天下國家』。天下的基礎在國，國的基礎在家，家的基礎在個人。」

7.6

孟子曰：「為政不難，不得罪於巨室。巨室之所慕，一國慕之；一國之所慕，天下慕之。故沛然德教溢乎四海[1]。」

注釋

1 沛：大。

譯文

孟子說：「搞政治不難，只要不得罪那些賢明的卿大夫們。因為他們所思慕的，一國人都會思慕；一國的人所思慕的，天下的人都會思慕。所以道德教化就浩浩蕩蕩地溢滿四海了。」

7.7

孟子曰：「天下有道，小德役大德[1]，小賢役大賢；天下無道，小役大，弱役強。斯二者，天也。順天者存，逆天者亡。齊景公曰：『既不能令，又不受命，是絕物也。』涕出而女於吳[2]。今也小國師大國而恥受命焉，是猶弟子而恥受命於先師也。如恥之，莫若師文王。師文王，大國五年，小國七年，必為政於天下矣。《詩》云：『商之孫子，其麗不億[3]。上帝既命，侯於周服[4]。侯服於周，天命靡常。殷士膚敏[5]，祼（guàn）將於京。』孔子曰：『仁不可為眾也。夫國君好仁，天下無敵。』今也欲無敵於天下而不以仁，是猶執熱而不以濯（zhuó）也[6]。《詩》

云：『誰能執熱，逝不以濯？』」

注釋

1小德役大德：即「小德役於大德」。2女：嫁女兒。史載齊景公把女兒嫁給吳王闔閭，齊景公雖以之為恥，但迫於吳國實力強大，不得不這樣做。3麗：數目。億：周代稱十萬為億。這裏形容眾多。4侯於周服：乃臣服於周。侯，語助詞，乃。5膚：美。6執：救治。濯：洗滌。

譯文

孟子說：「天下有道的時候，道德較低的人被道德較高的人役使，不太賢明的人被賢明的人役使；天下無道的時候，力量小的被力量大的役使，力量弱的被力量強的役使。這兩種情況，都是天意。順從天意的就生存，違逆天意的就滅亡。齊景公說：『既不能發號施令，又不願服從命令，這是絕路一條。』於是流着眼淚把女兒嫁到吳國。如今小國以大國為師而又恥於服從命令，這就像弟子恥於服從老師的命令一樣。如果以此為恥辱，不如師從文王。如果師從文王，大國只需五年，小國只需七年，一定能統治天下。《詩經》上說：『殷商的子孫，數目不下十萬。上帝既已降命，於是臣服於周。臣服於周，天命並不固定。商臣漂亮聰明，也上鎬京助祭。』孔子說：『仁德是不在乎人多勢眾的。國君如果愛仁德，就可以無敵於天下。』如今有人想要無敵於天下卻不依靠仁德，這就像要解除炎熱卻不洗浴一樣。《詩經》說：『誰能解除炎熱，卻不憑藉洗浴？』」

7.8

孟子曰：「不仁者可與言哉？安其危而利其菑（zāi），樂其所以亡者。不仁而可與言，則何亡國敗家之有？有孺子歌曰：『滄浪之水清兮，可以濯我纓；滄浪之水濁兮，可以濯我足。』孔子曰：『小子聽之！清斯濯纓，濁斯濯足矣。自取之也。』夫人必自侮，然後人侮之；家必自毀，而後人毀之；國必自伐，而後人伐之。《太甲》曰：『天作孽，猶可違。自作孽，不可活。』此之謂也。」

譯文

孟子說：「不仁的人可以同他談論嗎？別人有危險，他安然不動，別人遭了災，他卻趁火打劫，高興於別人所遭受的慘禍。不仁的人如果可以同他談論，那還會有亡國敗家的事嗎？有個小孩子唱道：『滄浪的水清呀，可以洗我的帽纓；滄浪的水濁呀，可以洗我的雙腳。』孔子說：『弟子們聽着！清呢，就洗帽纓，濁呢，就洗雙腳。這都取決於水本身啊。』人一定先是有自取侮辱的原因，然後別人才侮辱他；家一定先是有自毀的原因，然後別人才毀掉它；國一定先是有自己招來攻伐的原因，然後別人才攻伐它。《太甲》說：『天降的災難還可以躲避，自找的災難那可活不了。』說的就是這個意思。」

7.9

孟子曰：「桀紂之失天下也，失其民也。失其民者，失其心也。得天下有道：得其民，斯得天下矣。得其民有道：得其心，斯得民矣。得其心有道：所欲與之聚之，所惡勿施爾也。民之歸仁也，猶水之就下、獸之走壙（kuàng）也。故為淵驅魚者，獺也；為叢驅爵者，鸇（zhān）也；為湯武驅民者，桀與紂也。今天下之君有好仁者，則諸侯皆為之驅矣。雖欲無王，不可得已。今之欲王者，猶七年之病求三年之艾也[1]。苟為不畜，終身不得。苟不志於仁，終身憂辱，以陷於死亡。《詩》云：『其何能淑[2]，載胥及溺[3]。』此之謂也。」

注釋

1 艾：艾草。治病用的艾草，乾的時間越長越管用。2 其：指朝內君臣。淑：好。3 載：則。胥：相與。及溺：至於沉溺。

譯文

孟子說：「桀、紂喪失天下，是因為失去老百姓的支持。失去支持，是因為失去民心。得天下有辦法：得到老百姓的支持就能得天下。得到老百姓的支持有辦法：得民心，就能得到老百姓支持。得民心有辦法：他們想要的，就為他們聚積，他們所厭惡的，不要強加給他們。老百姓歸服仁政，就像水往下流，野獸往曠野跑。因此，為深池把魚趕來的，是水獺；為森林把鳥雀趕來的，是猛鷹；為商湯、武王把老百姓趕來的，是桀和紂。當今天下君王如果有愛仁德的，那麼，各國諸侯都在為他驅趕百姓。即使不想統一天下，也辦不到。當今想統一天下的，卻像生了七年病的人要得到乾了三年的艾草。如果不積蓄，是終身得不到的。如果不立志於仁德，是要終身憂患、受辱，以至於死亡的。《詩經》說：『他們哪能變好，只能同歸於盡。』說的就是這個意思。」

賞析與點評

「桀紂之失天下也，失其民也。失其民者，失其心也。」正所謂得民心者得天下、失民心者失天下。典型的民本主義思想。

7.10

孟子曰：「自暴者，不可與有言也；自棄者，不可與有為也。言非禮義，謂之自暴也。吾身不能居仁由義，謂之自棄也。仁，人之安宅也；義，人之正路也。曠安宅而弗居，舍正路而不由，哀哉！」

譯文

孟子說：「自己殘害自己的人，不可能同他有所談論；自己拋棄自己的人，不可能同他有所作為。說出話來破壞禮義，這便叫做自己殘害自己。自以為不能安居於仁，由義而行，這便叫做自己拋棄自己。仁，是人最安穩的住宅；義，是人最中正的道路。空着安穩的住宅而不住，捨棄中正的道路而不走，可悲啊！」

7.11

孟子曰：「道在邇而求諸遠，事在易而求諸難——人人親其親，長其長，而天下平。」

譯文

孟子說：「道就在近處，卻往遠處去找它；事情本來容易，卻往難處去做它——其實只要人人愛自己的雙親，尊敬自己的長輩，天下就太平了。」

7.12

孟子曰：「居下位而不獲於上，民不可得而治也。獲於上有道，不信於友，弗獲於上矣。信於友有道，事親弗悅，弗信於友矣。悅親有道，反身不誠，不悅於親矣。誠身有道，不明乎善，不誠其身矣。是故誠者，天之道也。思誠者，人之

道也。至誠而不動者，未之有也。不誠，未有能動者也。」

譯文

孟子說：「處於下級的地位而不能得到上級的信任，是不能治理好百姓的。得到上級的信任有辦法，首先要得到朋友的信任，假如不能取信於朋友，就不能得到上級的信任。取信於朋友有辦法，首先要得到父母的歡心，侍奉雙親而不能讓他們高興，就不能取信於朋友。讓雙親高興有辦法，首先要誠心誠意，反躬自問而心意不誠，就不能讓雙親高興。使自己誠心誠意有辦法，首先要明白甚麼是善，不明白善的道理，就不能使自己誠心誠意。因此，誠，是自然的道理。思慕誠，是做人的道理。極端誠心而不能使別人動心的，是從來沒有的事；不誠心，則從來沒有使人動心的。」

7.13

孟子曰：「伯夷辟紂，居北海之濱，聞文王作，興曰：『盍歸乎來！吾聞西伯善養老者[1]。』太公辟紂，居東海之濱，聞文王作，興曰：『盍歸乎來！吾聞西伯善養老者。』二老者，天下之大老也，而歸之，是天下之父歸之也。天下之父歸之，其子焉往？諸侯有行文王之政者，七年之內，必為政於天下矣。」

注釋 1 西伯：即周文王。

譯文 孟子說：「伯夷避開紂王，住在北海岸邊，聽說文王興起，便說：『為甚麼不歸附他！我聽說西伯是善於養老的人。』姜太公避開紂王，住在東海岸邊，聽說文王興起，便說：『為甚麼不歸附他！我聽說西伯是善於養老的人。』這兩個老人，是天下德高望重的老人，都歸附他，這好比天下人的父親歸附西伯。天下人的父親都歸附西伯了，他們的兒子還會到哪兒去呢？當今的諸侯如果有能實行文王的政治的，七年之內，就一定能統治天下。」

7.14

孟子曰：「求也為季氏宰，無能改於其德，而賦粟倍他日。孔子曰：『求非我徒也，小子鳴鼓而攻之可也。』由此觀之，君不行仁政而富之，皆棄於孔子者也，況於為之強戰？爭地以戰，殺人盈野；爭城以戰，殺人盈城，此所謂率土地而食人肉，罪不容於死。故善戰者服上刑[1]，連諸侯者次之[2]，辟草萊、任土地者次之[3]。」

注釋 1 善戰者：善於帶兵打戰的人，如孫臏、吳起之類。上刑：重刑。2 連諸侯者：指主張合縱或連橫的縱橫家。3 辟草萊、任土地者：指主張盡地力的李悝、主張開阡陌的商鞅之類。辟草萊，開墾荒地。任土地，分土授民。孟子以為這些主張雖然意在發展生產，但並不是為百姓着想，而是為了統治者的私利，所以反對。

譯文

孟子說：「冉求做季氏的家臣，不能改善他的德行，反而把田租增加了一倍。孔子說：『冉求不是我的學生，你們打響戰鼓去攻擊他都可以。』由此看來，不幫助君主實行仁政而幫助他聚斂財富，都是被孔子鄙棄的，何況是努力為君主作戰的人？為爭奪土地而作戰，殺死的人遍佈原野；為爭奪城池而作戰，殺死的人遍佈城池，這就叫帶領土地吃人肉，死刑都不足以懲罰他們的罪行。因此好戰的人應該受最重的刑罰，鼓吹合縱連橫的人受次一等的刑罰，開墾荒地，分土授田的人受再次一等的刑罰。」

7.15

孟子曰：「存乎人者，莫良於眸子。眸子不能掩其惡。胸中正，則眸子瞭（liǎo）焉；胸中不正，則眸子眊（mào）焉。聽其言也，觀其眸子，人焉廋（sōu）哉！」

譯文

孟子說：「觀察一個人，沒有比觀察他的眼睛更好的了。眼睛不能掩飾一個人的醜惡。內心正直，眼睛就明亮，心術不正，眼睛就昏暗。聽人說話，觀察他的眼睛，這人的善惡哪能隱藏得住！」

7.16

孟子曰：「恭者不侮人，儉者不奪人。侮奪人之君，惟恐不順焉，惡得為恭儉？恭儉豈可以聲音笑貌為哉？」

譯文　孟子說：「恭敬的人不會侮辱別人，節儉的人不會掠奪別人。侮辱、掠奪別人的君侯，惟恐別人不順從他，怎麼能做到恭敬、節儉？恭敬和節儉這兩種品德難道可以只靠聲音和笑貌就做到嗎？」

7.17

淳于髡（kūn）曰：「男女授受不親，禮與？」

孟子曰：「禮也。」

曰：「嫂溺，則援之以手乎？」

曰：「嫂溺不援，是豺狼也。男女授受不親，禮也。嫂溺，援之以手者，權也。」

曰：「今天下溺矣，夫子之不援，何也？」

曰：「天下溺，援之以道。嫂溺，援之以手——子欲手援天下乎？」

譯文

淳于髡說：「男女之間不親手遞接東西，這是禮制嗎？」

孟子說：「是禮制。」

淳于髡說：「嫂嫂掉到水裏，用手拉她嗎？」

孟子說：「嫂嫂掉到水裏而不拉她，是豺狼。男女之間不親手遞接，是禮制。嫂嫂掉到水裏，用手拉她，是變通的辦法。」

淳于髡說：「當今天下都掉到水裏了，先生不拉一把，為甚麼？」

孟子說：「天下掉到水裏，要用道來救援。嫂嫂掉到水裏，是用手去救援——你難道要用手來救援天下嗎？」

7.18

公孫丑曰：「君子之不教子，何也？」

孟子曰：「勢不行也。教者必以正。以正不行，繼之以怒。繼之以怒，則反夷矣。『夫子教我以正，夫子未出於正也。』則是父子相夷也。父子相夷，則惡矣。古者易子而教之，父子之間不責善。責善則離，離則不祥莫大焉。」

譯文　公孫丑說：「君子不親自教育兒子，這是為甚麼？」

孟子說：「因為情勢行不通。教育者一定用正確的道理。用正確的道理如果行不通，接着就發火。接着就發火，那反而傷感情了。兒子會說：『您用正確的道理教導我，您卻不從正確的道理出發。』那父子就會互相傷感情。父子互相傷感情，就壞了。古人互相交換兒子來教育，父子之間不用善的道理來責備對方。如果用善的道理來責備對方，就有了隔閡，一有隔閡，那就沒有甚麼比這更不好的了。」

7.19

孟子曰：「事，孰為大？事親為大。守，孰為大？守身為大。不失其身而能事其親者，吾聞之矣。失其身而能事其親者，吾未之聞也。孰不為事？事親，事之本也。孰不為守？守身，守之本也。曾子養曾皙，必有酒肉。將徹，必請所與。問有餘，必曰：『有。』曾皙死，曾元養曾子，必有酒肉。將徹，不請所與。問有餘，曰：『亡矣。』——將以復進也。此所謂養口體者也。若曾子，則可謂養志也。事親若曾子者，可也。」

譯文　孟子說：「侍奉誰最要緊？侍奉雙親最要緊。守護誰最要緊？守護自己最要緊。不遺失自己的節操而能侍奉好雙親的，我聽說過。遺失了自己的節操而能侍奉好雙親的，我沒聽說過。誰不該侍奉？侍奉雙親，是侍奉中的根本。誰不該守護？守護自己，卻是守護中的根本。從前曾參奉養曾晳，每餐必有酒肉。將要撤下時，一定問父親剩下的給誰。如果父親問這東西是否還有，他一定答道：『有。』曾晳死後，曾元奉養曾參，每餐必有酒肉。將要撤下時，不問父親剩下的給誰。如果父親問這東西是否還有，他就答道：『沒有了。』——其實他是想留着預備以後進用，不想給別人。這叫做奉養口舌、軀體。像曾參那樣，就可以叫做奉養意旨。侍奉雙親像曾參那樣的，就可以了。」

7.20

孟子曰：「人不足與適（zhé）也，政不足與間（jiàn）也。唯大人為能格君心之非。君仁，莫不仁；君義，莫不義；君正，莫不正。一正君而國定矣。」

譯文

孟子說：「官吏不值得去譴責，政治不值得去非議。只有大人才能糾正君主心術的錯誤。君主仁，就沒有人不仁；君主義，就沒有人不義；君主正，就沒有人不正。一旦把君主端正了，國家就安定了。」

7.21

孟子曰：「有不虞之譽，有求全之毀。」

譯文　孟子說：「有料想不到的讚譽，也有求全責備的非議。」

7.22

孟子曰：「人之易其言也，無責耳矣。」

譯文　孟子說：「一個人把話輕易說出口，是因為他不必負說話的責任。」

7.23

孟子曰：「人之患在好為人師。」

譯文　孟子說：「人的毛病在於喜歡做別人的老師。」

7.24

樂正子從於子敖之齊[1]。

樂正子見孟子。孟子曰：「子亦來見我乎？」

曰：「先生何為出此言也？」

曰：「子來幾日矣？」

曰：「昔者。」

曰：「昔者！則我出此言也，不亦宜乎？」

曰：「舍館未定。」

曰：「子聞之也，舍館定，然後求見長者乎？」

曰：「克有罪。」

注釋

1 樂正子：魯人，名克，孟子弟子。子敖：王驩的字，齊王寵臣。

譯文

樂正子跟隨子敖到齊國。

樂正子來見孟子。孟子說：「你也來見我嗎？」

樂正子說：「先生為甚麼說這個話？」

孟子說：「你來了幾天了？」

樂正子說：「昨天來的。」

孟子說：「昨天！那麼我說這個話，不應該嗎？」

樂正子說：「住處還沒安定下來。」

孟子說：「你聽說過，住處安定了，然後再求見長輩嗎？」

樂正子說：「我錯了。」

7.25

孟子謂樂正子曰：「子之從於子敖來，徒餔啜（bū chuò）也[1]。我不意子學古之道而以餔啜也。」

注釋 1 餔：吃。啜：飲。

譯文 孟子對樂正子說：「你跟隨子敖來，只是為了飲食。我沒想到你學習古人之道是為了飲食。」

7.26

孟子曰：「不孝有三，無後為大。舜不告而娶，為無後也，君子以為猶告也。」

譯文 孟子說：「不孝順的事有三種，其中沒有子孫是最嚴重的。舜不先稟告父母就娶妻，就因為擔心沒有子孫，因此君子認為他沒有稟告也同稟告過了一樣。」

7.27

孟子曰：「仁之實，事親是也；義之實，從兄是也；智之實，知斯二者弗去是也；禮之實，節文斯二者是也；樂之實，樂斯二者，樂則生矣；生則惡可已也，惡可已，則不知足之蹈之，手之舞之。」

譯文

孟子說：「仁的實質，就是侍奉雙親；義的實質，就是服從兄長；智的實質，就是懂得這二者的道理而不可離棄。禮的實質，就是對這二者加以調節和修飾；樂的實質，在於高興地做到這二者，於是快樂就產生了。只要一產生快樂，那怎麼能抑制得住，怎麼能停下來，於是不知不覺就手舞足蹈起來。」

7.28

孟子曰：「天下大悅而將歸己，視天下悅而歸己，猶草芥也，惟舜為然。不得乎親，不可以為人。不順乎親，不可以為子。舜盡事親之道而瞽瞍（gǔ sǒu）厎（zhǐ）豫[1]，瞽瞍厎豫而天下化，瞽瞍厎豫而天下之為父子者定，此之謂大孝。」

注釋

1 瞽瞍：舜的父親。厎豫：得以快樂。

譯文

孟子說：「天下人都悅服而將歸附自己，把天下人都悅服而將歸附自己，看得像草芥一樣，只有舜能做到。不能得父母的歡心，不可以做人。不順從父母，不可以做兒子。舜盡心盡力侍奉父親而瞽瞍終於高興，瞽瞍終於高興而天下的風俗為之潛移默化，瞽瞍終於高興而天下做父親、做兒子的倫常也由此確定，這叫做大孝。」

卷八 離婁下

本篇導讀——

共三十三章。第一、十九、二十、二十九、三十一各章，都論及古代聖王或聖人之徒同道的道理，或不謀而合，或易地而然，其行跡或有差異，所持守的道義準則卻如出一轍。第四、五、六章，是關於君臣相對關係的論述，在孟子看來，臣對君的盡忠，並不是無條件的，而是取決於君王是否行仁義之道。第二十七章記錄孟子與王打交道的一件小事，可以看出孟子以禮為恃的驕傲人格。第三十三章「齊人有一妻一妾」，是一則著名的寓言，第十八章以水為喻，說明為人治學的「有本」、「無本」之別，都饒有趣味。

8.1

孟子曰：「舜生於諸馮，遷於負夏，卒於鳴條，東夷之人也。文王生於岐周，卒於畢郢，西夷之人也。地之相去也，千有餘里；世之相後也，千有餘歲。得志行乎中國，若合符節[1]，先聖後聖，其揆（kuí）一也。」

注釋

1 符節：古代表示印信之物，用玉或銅、竹等原料製成虎、龍等形狀，或篆刻文字，剖為兩半，各執其一，有事則左右相合，以為印信。

譯文

孟子說：「舜誕生在諸馮，遷居到負夏，死在鳴條，是東方人。文王生在周國的岐山，死在畢郢，是西方人。兩地距離一千多里，時代相隔一千多年。但是當他們得志時在中國的作為，卻像符節相合那樣相同，古代的聖人和後代的聖人，他們的準則是相同的。」

8.2

子產聽鄭國之政，以其乘輿濟人於溱洧（zhēn wěi）。孟子曰：「惠而不知為政。歲十一月，徒杠成；十二月，輿梁成，民未病涉也。君子平其政，行辟（bì）人可也[1]，焉得人人而濟之？故為政者，每人而悅之，日亦不足矣。」

注釋　1 辟人：指執鞭者開道，讓行人迴避。

譯文　子產主持鄭國的政治，曾用他所乘坐的車渡人過溱水、洧水。孟子說：「這是私恩小惠卻不懂得搞政治。如果在十一月修成可供徒步的橋，在十二月修成可供車行的橋，老百姓就不必為渡河發愁了。君子只要把政治搞好，外出時執鞭開道，讓行人迴避都可以，哪裏能人人幫他過河呢？所以，如果搞政治的人，挨個討人歡心，日子也就不夠用了。」

8.3

孟子告齊宣王曰：「君之視臣如手足，則臣視君如腹心；君之視臣如犬馬，則臣視君如國人；君之視臣如土芥，則臣視君如寇讎（chóu）。」

王曰：「禮，為舊君有服，何如斯可為服矣？」

曰：「諫行言聽，膏澤下於民；有故而去，則君使人導之出疆，又先於其所往；去三年不反，然後收其田里。此之謂三有禮焉。如此，則為之服矣。今也為臣，諫則不行，言則不聽，膏澤不下於民；有故而去，則君搏執之，又極之於其所往[1]；去之日，遂收其田里。此之謂寇讎。寇讎，何服之有？」

注釋

1 極：困窮。

譯文

孟子告訴齊宣王說：「君主把臣下當作自己的手足，那麼臣下就會把君主當作腹心；君主把臣下當作狗馬，那麼臣下就會把君主當作平民；君主把臣下當作土和草，那麼臣下就會把君主當作仇敵。」

王說：「禮制規定，臣下須為往日的君主穿孝服，怎樣才能使臣下為他服孝呢？」

孟子說：「有勸諫，就照着做，有甚麼話，都聽從，恩惠普及於百姓；臣下如果有事離開，就派人引導他離開國境，又打發人先到他要去的地方作好準備；離開了三年還不回來，這才收回他的田地房產。這叫三有禮。這樣，臣下就會為他服孝了。現在做臣下的，勸諫，王不照着辦，說的話，王不聽從，恩惠不能普及於百姓；臣下有事離開，君主就把他捆綁起來，又設法讓他在所去的地方走投無路；離開的當天，就收回他的田地房產。這叫做仇敵。對仇敵樣的舊君，還服甚麼孝？」

賞析與點評

「君之視臣如手足，則臣視君如腹心。」正所謂君禮臣忠。如果君臣不和，視若仇敵，何來國泰民安。

8.4

孟子曰：「無罪而殺士，則大夫可以去；無罪而戮民，則士可以徙。」

譯文　孟子說：「士人無罪卻被殺掉，那麼大夫可以離開；百姓無罪卻被屠戮，那麼士人可以遷走。

8.5

孟子曰：「君仁，莫不仁；君義，莫不義。」

譯文　孟子說：「君主如果仁，就沒有人不仁；君主如果義，就沒有人不義。」

8.6

孟子曰：「非禮之禮，非義之義，大人弗為。」

譯文　孟子說：「不合禮制的禮，不合正義的義，有德行的人是不去做的。」

8.7

孟子曰：「中也養不中，才也養不才，故人樂有賢父兄也。如中也棄不中，才也棄不才，則賢不肖之相去，其間不能以寸。」

譯文　孟子說：「中庸的人教養過分或不及的人，有才能的人教養無才能的人，所以人人都喜歡有好父兄。如果中庸的人不理會過分或不及的人，有才能的人不理會無才能的人，那麼好和不好的距離，就近得沒有辦法用分寸來計量了。」

8.8

孟子曰：「人有不為也，而後可以有為。」

譯文　孟子說：「人要有所不為，才能有所作為。」

8.9

孟子曰：「言人之不善，當如後患何？」

譯文　孟子說：「宣揚別人的不好，該怎麼對付後患呢？」

8.10

孟子曰：「仲尼不為已甚者。」

譯文　孟子説：「孔子不做過火的事情。」

8.11

孟子曰：「大人者，言不必信，行不必果，惟義所在。」

譯文　孟子説：「有德行的人，説話不一定都講信用，做事不一定都果斷，只看是否合乎義。」

8.12

孟子曰：「大人者，不失其赤子之心者也。」

譯文　孟子説：「有德行的人，就是不喪失嬰兒的天真純樸之心的人。」

8.13

孟子曰：「養生者不足以當大事，惟送死可以當大事。」

譯文　孟子說：「養活父母算不上甚麼大事，只有為他們送終，才算是大事。」

8.14

孟子曰：「君子深造之以道，欲其自得之也。自得之，則居之安；居之安，則資之深；資之深，則取之左右逢其原，故君子欲其自得之也。」

譯文　孟子說：「君子依循正確的方法獲得高深的造詣，就是要能自覺地有所得。自覺地有所得，就能牢固地掌握它而不動搖，就能積蓄深厚；積蓄深厚，就能取之不盡，左右逢源，所以君子希望能自覺地有所得。」

8.15

孟子曰：「博學而詳說之，將以反說約也。」

譯文　孟子說：「廣博地學習，詳細地解說，最終還是要回到簡略地陳述大義的境界。」

‖8.16

孟子曰：「以善服人者，未有能服人者也。以善養人，然後能服天下。天下不心服而王者，未之有也。」

譯文

孟子說：「用善來使人服輸，沒有能使人服輸的。用善來熏陶教養人，這才能使天下人信服。天下人不能心服，卻能統一天下的，是從來沒有過的事。」

‖8.17

孟子曰：「言無實不祥。不祥之實，蔽賢者當之。」

譯文

孟子說：「說話不符合實際，是不會有好結果的。說話符合實際，而得到不好的結果，那些阻礙賢者進用的人應承擔責任。」

‖8.18

徐子曰[1]：「仲尼亟（qì）稱於水，曰『水哉，水哉！』何取於水也？」

孟子曰：「源泉混混[2]，不舍晝夜，盈科而後進[3]，放乎四海。有本者如是，是之取爾。苟為無本，七八月之閒雨集，溝澮（kuài）皆盈，其涸也，可立而待也。

故聲聞（wèn）過情，君子恥之。」

注釋　1 徐子：即徐辟，孟子弟子。2 混混：水流旺盛的樣子。3 科：坎地。

譯文　徐子說：「孔子多次稱讚水，說：『水啊，水啊！』他贊同水的甚麼方面呢？」孟子說：「有源頭的泉水滾滾奔流，日夜不停，注滿了窪地以後才向前進，一直流到大海去。有本源的就像這樣，孔子贊同水的這一點。如果是沒有本源的，像七、八月之間雨水會集，水溝、水渠都滿了，但它的乾涸，也是立等可待的。所以名譽超過實情，是君子引為恥辱的。」

8.19

孟子曰：「人之所以異於禽獸者幾希，庶民去之，君子存之。舜明於庶物，察於人倫，由仁義行，非行仁義也。」

譯文　孟子說：「人不同於禽獸的就那麼一點點，老百姓丟棄了它，君子保存了它。舜明白萬物的規律，了解人事的道理，自然遵循仁義的道路行走，而不是勉強地推行仁義。」

8.20

孟子曰：「禹惡旨酒而好善言。湯執中，立賢無方[1]。文王視民如傷，望道而未之見[2]。武王不泄邇，不忘遠。周公思兼三王，以施四事，其有不合者，仰而思之，夜以繼日；幸而得之，坐以待旦。」

注釋

1 方：常規。2 而：如。

譯文

孟子說：「禹厭惡美酒而喜愛有道理的話。湯堅守中庸之道，選拔賢人不照死規矩辦。文王對待老百姓就像對待受傷的人，渴望真理就像從未見過一樣。武王不輕侮近臣，也不遺忘遠方的賢人。周公想要兼學夏、商、周三代的王，來實踐禹、湯、文王、武王所行的勳業，自己的言行有與他們不符合的，就仰頭考慮，白天想不好，晚上接着想；僥倖想出了結果，就坐着等待天亮去付諸實施。」

8.21

孟子曰：「王者之迹熄而《詩》亡[1]，《詩》亡然後《春秋》作。晉之《乘》，楚之《檮杌》，魯之《春秋》，一也。其事則齊桓、晉文，其文則史。孔子曰：『其義則丘竊取之矣。』」

注釋　1 迹：「迒」之誤，乃古之遒人，周代採詩之官。

譯文　孟子說：「聖王採詩的事情停止了，《詩》也就沒有了，《詩》沒有了，《春秋》便出現了。晉國的《乘》，楚國的《檮杌》，魯國的《春秋》，是一樣的。所記載的是齊桓公、晉文公的事，所用的筆法是一般史書的筆法。孔子說：『揚善抑惡的大義，我在《春秋》上便借用了。』」

8.22

孟子曰：「君子之澤五世而斬，小人之澤五世而斬。予未得為孔子徒也，予私淑諸人也[1]。」

注釋　1 淑：通「叔」，取，獲益。

譯文　孟子說：「君子的影響五代以後便斷絕了，小人的影響也是五代以後便斷絕了。我沒能成為孔子的門徒，我是私下向人學習來的。」

8.23

孟子曰：「可以取，可以無取，取傷廉；可以與，可以無與，與傷惠；可以死，

可以無死，死傷勇。」

譯文　孟子說：「可以取，可以不取，取了就有損於廉潔；可以給，可以不給，給了就有損於恩惠；可以死，可以不死，死了就有損於勇敢。」

‖8.24

逢（péng）蒙學射於羿，盡羿之道，思天下惟羿為愈己，於是殺羿。孟子曰：「是亦羿有罪焉。」

公明儀曰：「宜若無罪焉。」

曰：「薄乎云爾，惡得無罪？鄭人使子濯孺子侵衛，衛使庾公之斯追之。子濯孺子曰：『今日我疾作，不可以執弓，吾死矣夫！』問其僕曰：『追我者誰也？』其僕曰：『庾公之斯也。』曰：『吾生矣。』其僕曰：『庾公之斯，衛之善射者也。夫子曰吾生，何謂也？』曰：『庾公之斯學射於尹公之他，尹公之他學射於我。夫尹公之他，端人也，其取友必端矣。』庾公之斯至，曰：『夫子何為不執弓？』曰：『今日我疾作，不可以執弓。』曰：『小人學射於尹公之他，尹公之他學射於夫子。我不忍以夫子之道反害夫子。雖然，今日之事，君事也，我不敢廢。』

抽矢，扣輪，去其金，發乘矢而後反[1]。」

注釋 1 乘矢：四支箭。

譯文 逢蒙向羿學習射箭，完全掌握了羿的本領，心想天下只有羿超過自己，於是殺了羿。孟子說：「這事也有羿的罪過。」

公明儀說：「好像沒有他的罪過吧。」

孟子說：「罪過不大罷了，怎能說沒有罪過呢？鄭國派子濯孺子攻打衞國，衞國派庾公之斯追擊他。子濯孺子說：『今天我的病發作，拿不了弓，我死定了！』向給他駕車的人問道：『追我的是誰呢？』駕車的人說：『是庾公之斯。』子濯孺子說：『我死不了了。』駕車的人問道：『庾公之斯是衞國擅長射箭的人，先生卻說我死不了，甚麼意思？』子濯孺子回答道：『庾公之斯是向尹公之他學的射箭，尹公之他是向我學的射箭。尹公之他是個正派人，他所交的朋友一定也是正派人。』庾公之斯趕到了，說：『先生為甚麼不拿弓？』子濯孺子說：『今天我的病發作，拿不了弓。』庾公之斯便說：『我是向尹公之他學的射箭，尹公之他是向先生學的射箭。我不忍心用先生的本領反過來傷害先生。儘管這樣，今天的事，是君主的公事，我不敢不辦。』於是抽出箭，敲了幾下車輪，把箭鏃去掉，發射了四支後便回去了。」

‖8.25

孟子曰：「西子蒙不潔，則人皆掩鼻而過之。雖有惡人，齋戒沐浴，則可以祀上帝。」

譯文　孟子說：「即使是西施，如果沾染了不乾淨的東西，別人從她身邊走過，也都會捂着鼻子。而即使是醜陋的人，只要齋戒沐浴，也可以祭祀上帝。」

‖8.26

孟子曰：「天下之言性也，則故而已矣[1]。故者以利為本[2]。所惡於智者，為其鑿也。如智者若禹之行水也，則無惡於智矣。禹之行水也，行其所無事也。如智者亦行其所無事，則智亦大矣。天之高也，星辰之遠也，苟求其故，千歲之日至，可坐而致也。」

注釋　1 故：故常之跡，指事物在運行中已表現於外的現象。2 利：順應。

譯文

孟子說：「天下講物性或人性的，只要研究已有的跡象就可以了。已有的跡象，以順應自然為根本。聰明之所以令人厭惡，是因為它的穿鑿。如果聰明人像禹治水那樣，聰明就不令人厭惡了。禹治水，只是順應水勢，因勢利導，看來就像無所作為。如果聰明人也能這樣無所作為，那就是大聰明了。天極高，星辰極遠，如果研究它們已有的跡象，千年以後的冬至，都可以坐着推算出來。」

8.27

公行子有子之喪，右師往弔。入門，有進而與右師言者，有就右師之位而與右師言者。孟子不與右師言，右師不悅，曰：「諸君子皆與驩言，孟子獨不與驩言，是簡驩也。」

孟子聞之，曰：「禮，朝廷不歷位而相與言，不逾階而相揖也[1]。我欲行禮，子敖以我為簡，不亦異乎？」

注釋

1 歷：跨越。

譯文

公行子死了兒子。右師去弔唁，進了門，有上前去和他說話的，坐定後，又有靠近他的座位和他說話的。孟子不和右師說話，右師不高興，說：「各位君子都和我說話，只有孟子不和我說話，這是怠慢我。」

孟子聽說了，說：「禮的規矩是，在朝廷上不越過位次來交談，不越過臺階來作揖。我要依禮而行，子敖卻以為我怠慢他，不是很奇怪嗎？」

8.28

孟子曰：「君子所以異於人者，以其存心也。君子以仁存心，以禮存心。仁者愛人，有禮者敬人。愛人者，人恆愛之；敬人者，人恆敬之。有人於此，其待我以橫（hèng）逆，則君子必自反也：我必不仁也，必無禮也，此物奚宜至哉？其自反而仁矣，自反而有禮矣，其橫逆由是也[1]，君子必自反也，我必不忠。自反而忠矣，其橫逆由是也。君子曰：『此亦妄人也已矣。如此，則與禽獸奚擇哉？於禽獸又何難焉？』是故君子有終身之憂，無一朝之患也。乃若所憂則有之：舜，人也；我，亦人也。舜為法於天下，可傳於後世，我由未免為鄉人也，是則可憂也。憂之如何？如舜而已矣。若夫君子所患則亡矣。非仁無為也，非禮無行也。如有一朝之患，則君子不患矣。」

注釋

1 由：通「猶」。

譯文

孟子說：「君子和一般人不同的地方，在於他的存心。君子把仁放在心上，把禮放在心上。仁人愛別人，有禮的人尊敬別人。愛別人的人，別人常愛他；尊敬別人的人，別人常尊敬他。假如這裏有個人，他對我粗暴無理，那麼，君子一定自我反省：我一定不仁，一定無禮，否則這種事怎麼會落到我頭上？自我反省之後認為自己是仁的，自我反省之後認為自己是有禮的，那粗暴無理的還是這樣，君子一定又自我反省，我一定不忠。自我反省之後認為自己是忠心耿耿的，那粗暴無理的還是這樣。君子就說：『這是個狂妄的人罷了。既是這樣，他和禽獸有甚麼區別呢？對於禽獸還有甚麼可責備的呢？』因此君子有終身的憂慮，而沒有意外的痛苦。這樣的憂慮是有的：舜，是個人；我，也是個人。舜成為天下人的模範，可以流傳到後代，我還不免於只是個普通人，這就是可憂慮的。憂慮了怎麼辦？努力像舜一樣罷了。至於君子的痛苦，那是沒有的。不是仁的事不做，不是合於禮的事不幹。假如有意外的災難，君子也不為它感到痛苦。」

8.29

禹、稷當平世，三過其門而不入，孔子賢之。顏子當亂世，居於陋巷，一簞食，一瓢飲；人不堪其憂，顏子不改其樂，孔子賢之。孟子曰：「禹、稷、顏回同道。

禹思天下有溺者，由己溺之也；稷思天下有飢者，由己飢之也，是以如是其急也。禹、稷、顏子易地則皆然。今有同室之人鬥者，救之，雖被（pī）髮纓冠而救之[1]，可也。鄉鄰有鬥者，被髮纓冠而往救之，則惑也，雖閉戶可也。」

注釋

1 被髮：披散着頭髮。被，同「披」。纓冠：把帽帶頂在頭上。帽帶本該自上而下繫在頸上，這裏指因急於戴帽，來不及這樣辦，所以只和帽子一樣頂在頭上。

譯文

禹、稷處在太平的時代，三次經過自己家門都不進去，孔子稱讚他們。顏回處在動亂的時代，住在簡陋的巷子裏，一筐飯，一瓢水，別人受不了那種憂患，顏回卻不改他的快樂，孔子稱讚他。孟子說：「禹、稷和顏回走的是同一條路。禹想到天下有溺水的人，就如同自己溺水一樣；稷想到天下有飢餓的人，就如同自己餓了一樣，所以那樣急迫。禹、稷和顏回如果交換地位，顏回也會三過家門而不入，禹、稷也會深居陋巷而自得其樂。假如現在有同屋的人互相爭鬥，你去救他，即使披散着頭髮，連帽纓也不結就去救他，也是可以的。如果本鄉有鄰居互相爭鬥，你也披散着頭髮，連帽纓也不結就去救他，那就是糊塗了，即使關着門都可以。」

公都子曰：「匡章，通國皆稱不孝焉。夫子與之遊，又從而禮貌之，敢問何也？」

孟子曰：「世俗所謂不孝者五：惰其四支，不顧父母之養，一不孝也；博弈好飲酒，不顧父母之養，二不孝也；好貨財，私妻子，不顧父母之養，三不孝也；從耳目之欲，以為父母戮，四不孝也；好勇鬥很，以危父母，五不孝也。章子有一於是乎？夫章子，子父責善而不相遇也。責善，朋友之道也。父子責善，賊恩之大者。夫章子，豈不欲有夫妻子母之屬哉？為得罪於父，不得近，出妻屏（bǐng）子，終身不養焉。其設心以為不若是，是則罪之大者，是則章子而已矣。」

譯文

公都子說：「匡章，全國都說他不孝，先生和他交往，而且對他禮敬有加，請問這是為甚麼？」

孟子說：「一般所謂不孝有五種：四肢懶惰，不管贍養父母，一不孝；喜歡賭博、喝酒，不管贍養父母，二不孝；喜歡錢財，偏愛妻子兒女，不管贍養父母，三不孝；放縱耳目的慾望，使父母蒙受羞辱，四不孝；逞勇好鬥，危及父母，五不孝。章子可有其中的一種嗎？章子呀，不過是父子之間以善相責而不能好好相處。以善相責，是朋友相處的道理。父子之間以善相責，是最傷感情的。章子呀，難道不想有夫妻母子的團聚？因為得罪了父親，不能和他親近，所以把妻子兒女趕出門，終身不養育他們。他心想如果不是這樣，那罪過就更大了，這就是章子呀。」

8.31

曾子居武城，有越寇。或曰：「寇至，盍去諸？」曰：「無寓人於我室，毀傷其薪木。」寇退，則曰：「修我牆屋，我將反。」寇退，曾子反。左右曰：「待先生如此其忠且敬也，寇至，則先去以為民望；寇退，則反，殆於不可。」沈猶行曰[1]：「是非汝所知也。昔沈猶有負芻之禍，從先生者七十人，未有與焉。」

子思居於衛[2]，有齊寇。或曰：「寇至，盍去諸？」子思曰：「如伋去，君誰與守？」

孟子曰：「曾子、子思同道。曾子，師也，父兄也。子思，臣也，微也。曾子、子思易地則皆然。」

注釋

1 沈猶行：曾子弟子，姓沈猶，名行。2 子思：孔子之孫，名伋，字子思。

譯文

曾子住在武城，有越國軍隊入侵。有人說：「敵人要來了，何不離開這裏？」曾子說：「不要讓人住到我屋裏，毀壞那些樹木。」敵人撤退了，他又說：「修葺好我的房屋，我要回來了。」敵人撤退，曾子回來了。左右的人說：「武城的人們待先生這樣忠誠恭敬，敵人一來您先走開，給老百姓樹立了一個壞榜樣；敵人一退您就回來，恐怕不可以的。」沈猶行說：「這不是你們懂得的。從前先生住在我那裏，遇到一個叫負芻的人作亂，隨從先生的七十人，也都跟着先生走了，沒有人參加抵抗。」

子思住在衞國，有齊國的軍隊入侵。有人說：「敵人要來了，何不離開這裏？」子思說：「如果我走了，君主和誰一道來守城呢？」

孟子說：「曾子、子思走的是同一條道路。曾子，是老師，是父兄。子思，是臣子，是地位較低的人。曾子和子思如果交換地位，也會像對方一樣行動的。」

8.32

儲子曰：「王使人瞯（jiàn）夫子，果有以異於人乎？」

孟子曰：「何以異於人哉？堯、舜與人同耳。」

譯文　儲子說：「王派人來窺探先生，先生真的有跟別人不同之處嗎？」

孟子說：「哪有跟別人不同的呢？堯、舜跟別人也都是一樣的。」

‖8.33

齊人有一妻一妾而處室者。其良人出，則必饜（yàn）酒肉而後反。其妻問所與飲食者，則盡富貴也。其妻告其妾曰：「良人出，則必饜酒肉而後反，問其與飲食者，盡富貴也，而未嘗有顯者來，吾將瞯良人之所之也。」蚤起[1]，施（yí）從良人之所之[2]，遍國中無與立談者。卒之東郭墦（fán）間，之祭者，乞其餘；不足，又顧而之他，此其為饜足之道也。其妻歸，告其妾，曰：「良人者，所仰望而終身也，今若此。」與其妾訕其良人，而相泣於中庭，而良人未之知也，施施從外來，驕其妻妾。由君子觀之，則人之所以求富貴利達者，其妻妾不羞也，而不相泣者，幾希矣。

注釋　1 蚤：通「早」。2 施：通「迤」，逶迤行進。

譯文　齊國有個人，家裏有一妻一妾。那丈夫外出，一定酒足飯飽以後才回來。他的妻子問是誰與他一起吃喝，他回答說，都是些富人權貴。他的妻子對妾說：「丈夫外出，一定酒足飯飽以後才回來，若問是誰與他一起吃喝，所答都是些富人權貴，但家裏從來沒有顯貴的人來訪，我打算偷偷地看他究竟到哪兒去。」第二天一早起來，她便尾隨丈夫到他所去的地方，走遍城中，沒有一個人站住同他說話的。最後到了東郊的墓地間，向祭掃墳墓的人乞討殘羹剩飯，不夠吃，又四下張望找別人，這就是他吃飽喝足的辦法。

那妻子回到家來，告訴妾說：「丈夫，是我們仰望而終身依靠的人，如今他竟是這樣。」於是同妾一道嘲諷丈夫，又在院子裏相對而泣，而丈夫還不知道，得意洋洋地從外面回來，向他的妻妾耍威風。

在君子看來，人們用來求富貴顯達的辦法，能使他們的妻妾不感到羞恥，不相對而泣的，實在太少了。

賞析與點評

「人之所以求富貴利達者，其妻妾不羞也，而不相泣者，幾希矣。」這種無時無刻不在想「以富貴驕人」的極度虛榮之人，以孟子的剛直個性，一定會是嗤之以鼻的。

卷九　萬章上

本篇導讀——

共九章，除第四章之外，均為答弟子萬章之問。其中第一、二、三、四章，論述舜孝養父母、親愛兄弟的品德。在孟子看來，舜對孝悌之道的踐履是純美無瑕的，關鍵在於不僅出自真性情，而且貫徹始終，甚至為此受蒙蔽，或犧牲其他的道義準則，也可以理解。第五、六兩章，論及禪讓與世襲制度的依據，照孟子的意見，禪讓與世襲，本身無所謂好壞，關鍵在是否有天意的依據，而天意的表現，卻是民心的嚮背。這就把王位繼承的依據落實於民間，體現出孟子的民本思想。

萬章問曰：「舜往於田，號泣於旻（mín）天[1]，何為其號泣也？」

孟子曰：「怨慕也。」

萬章曰：「『父母愛之，喜而不忘。父母惡之，勞而不怨。』[2]然則舜怨乎？」

曰：「長息問於公明高曰[3]：『舜往於田，則吾既得聞命矣。號泣於旻天，於父母，則吾不知也。』公明高曰：『是非爾所知也。』夫公明高以孝子之心，為不若是恝（jiá）[4]。我竭力耕田，共（gōng）為子職而已矣。父母之不我愛，於我何哉？帝使其子九男二女，百官牛羊倉廩備，以事舜於畎畝之中，天下之士多就之者，帝將胥天下而遷之焉。為不順於父母[5]，如窮人無所歸。天下之士悅之，人之所欲也，而不足以解憂；好色，人之所欲，妻帝之二女，而不足以解憂；富，人之所欲，富有天下，而不足以解憂；貴，人之所欲，貴為天子，而不足以解憂。人悅之、好色、富貴，無足以解憂者，惟順於父母可以解憂。人少，則慕父母；知好色，則慕少艾；有妻子，則慕妻子；仕則慕君，不得於君則熱中。大孝終身慕父母。五十而慕者，予於大舜見之矣。」

注釋

1 旻天：泛指天。2「父母愛之」四句：係引用曾子之語。3 長息：公明高弟子。公明高：曾子弟子。4 恝：無憂無慮的樣子。5 順：愛。

譯文

萬章問道：「舜到田裏去，向着天嚎哭，他為甚麼嚎哭？」

孟子說：「因為對父母既埋怨又依戀。」

萬章說：「曾子說過：『父母喜愛他，他既高興又不敢懈怠。父母厭惡他，他儘管發愁卻不埋怨。』可是舜竟然埋怨父母嗎？」

孟子說：「長息曾經問公明高說：『舜到田裏去，這我懂得了。但他向着天嚎哭，哭訴父母的不是，這我就不懂了。』公明高說：『這不是你所了解的。』在公明高看來，孝子之心是不能這樣漫不經心的。我盡力耕田，恭敬地履行兒子的職責罷了。父母不愛我，我有甚麼辦法？堯打發他的九個兒子、兩個女兒，以及大小官吏，帶着牛羊、糧食等等，到田地裏服事舜，天下的士人也多奔着他去，堯準備把整個天下都讓給他。舜卻因為不得父母的歡心，就像走投無路的人那樣無所歸屬。天下的士人喜歡他，這是誰都盼望的，卻不足以消除他的憂愁；漂亮的姑娘，這是誰都盼望的，娶了堯帝的兩個女兒，卻不足以消除他的憂愁。富有，這是誰都盼望的，富到擁有整個天下，卻不足以消除他的憂愁；顯貴，這是誰都盼望的，貴到身為天子，卻不足以消除他的憂愁。別人喜歡他、漂亮的姑娘、財富和尊貴，都不足以消除憂愁，只有得父母的歡心才可以消除憂愁。人在小時候，就依戀父母；懂得喜歡女子的時候，就愛慕年輕漂亮的姑娘；有了妻室兒女，就愛護妻室兒女；做了官，就愛戴君主，不得君主的歡心就焦慮不安。大孝是終身依戀父母的。到了五十歲還依戀父母的，我在偉大的舜身上見到了。」

9.2

萬章問曰：「《詩》云：『娶妻如之何？必告父母。』信斯言也，宜莫如舜。舜之不告而娶，何也？」

孟子曰：「告則不得娶。男女居室，人之大倫也。如告，則廢人之大倫，以懟（duì）父母，是以不告也。」

萬章曰：「舜之不告而娶，則吾既得聞命矣。帝之妻舜而不告，何也？」

曰：「帝亦知告焉則不得妻也。」

萬章曰：「父母使舜完廩，捐階，瞽瞍焚廩。使浚井，出，從而掩之。象曰[1]：『謨蓋（hài）都君咸我績，牛羊父母，倉廩父母，干戈朕，琴朕，弤（dǐ）朕[2]，二嫂使治朕棲[3]。』象往入舜宮，舜在床琴。象曰：『鬱陶思君爾[4]。』忸怩。舜曰：『惟茲臣庶[5]，汝其於予治。[6]』不識舜不知象之將殺己與？」

曰：「奚而不知也？象憂亦憂，象喜亦喜。」

曰：「然則舜偽喜者與？」

曰：「否。昔者有饋生魚於鄭子產，子產使校人畜之池。校人烹之，反命曰：『始舍之，圉（yǔ）圉焉；少則洋洋焉；攸然而逝。』子產曰：『得其所哉！得其所哉！』校人出，曰：『孰謂子產智？予既烹而食之，曰，得其所哉，得其所哉。』故君子可欺以其方，難罔以非其道。彼以愛兄之道來，故誠信而喜之，奚偽焉？」

注釋

1 象：舜的同父異母弟。2 弤：舜弓之名。3 棲：床。4 鬱陶：想念的樣子。5 惟：想念。6 於：幫助。

譯文

萬章問道：「《詩經》上說：『娶妻該怎麼辦？一定先稟告父母。』信從這話的，應該沒有人比得上舜。但舜卻是沒有稟告父母就娶妻，這是怎麼回事？」

孟子說：「舜如果先稟告父母就不能娶妻了。男女成婚，是人與人之間重要的倫常。如果稟告了父母，就將破壞這重要的倫常，就會怨恨父母，所以便不稟告了。」

萬章說：「舜不稟告就娶妻的道理，我懂得了。帝堯把女兒嫁給舜，也不稟告舜的父母，又是怎麼回事？」

孟子說：「帝堯也知道稟告了就不能把女兒嫁給舜。」

萬章說：「父母打發舜修糧倉，等舜上了屋頂，就撤掉梯子，舜的父親瞽瞍放火燒糧倉。他們打發舜淘井，不知道舜逃了出來，便往井裏填土。象說：『謀害舜都是我的功勞，牛羊歸父母，倉廩歸父母，干戈歸我，琴歸我，弤弓歸我，兩位嫂嫂要她們為我鋪床疊被。』象到舜的屋裏去，舜卻坐在床邊撫琴。象說：『我好想你呀！』臉上有慚愧之色。舜說：『我想念這些臣下和百姓，你幫我治理吧。』不曉得舜知不知道象要殺害自己？」

孟子說：「怎麼不知道？只不過象憂愁，他也憂愁，象高興，他也高興。」

萬章說：「那麼，舜是假裝高興嗎？」

孟子說：「不是。從前有人送活魚給鄭國的子產，子產打發管池塘的小吏把牠養起來。小吏卻煮了吃掉，回報說：『剛放到池塘裏，牠蔫蔫的；過了一會兒，牠便擺着尾巴游起來，很快就游得不知哪裏去了。』子產說：『找到牠自己的地方了！找到牠自己的地方了！』小吏出來說：『誰說子產聰明？我已經把那條魚煮了吃掉，他還說，找到牠自己的地方了！找到牠自己的地方了！』所以，君子是可以用合乎常情的方式來欺騙他，卻不能用違背常理的辦法欺罔他。象假裝着敬愛兄長的方式來，所以舜就誠心實意地相信而為之喜悅，怎麼是假裝的呢？」

萬章問曰：「象日以殺舜為事。立為天子則放之，何也？」

孟子曰：「封之也，或曰放焉。」

萬章曰：「舜流共工於幽州，放驩兜於崇山，殺三苗於三危[1]，殛（jí）鯀於羽山，四罪而天下咸服，誅不仁也。象至不仁，封之有庳（bì）。有庳之人奚罪焉？仁人固如是乎——在他人則誅之，在弟則封之？」

曰：「仁人之於弟也，不藏怒焉，不宿怨焉，親愛之而已矣。親之，欲其貴也；愛之，欲其富也。封之有庳，富貴之也。身為天子，弟為匹夫，可謂親愛之乎？」

「敢問或曰放者，何謂也？」

曰：「象不得有為於其國，天子使吏治其國而納其貢稅焉，故謂之放。豈得暴彼民哉？雖然，欲常常而見之，故源源而來，『不及貢，以政接於有庳』。此之謂也。」

注釋　1 殺：當為「竄」的假借字。三苗：國名。三危：山名，在西方偏遠之地。

譯文　萬章問道：「象每天把殺掉舜當作一件大事，舜做了天子後卻只是流放他，為甚麼？」

孟子說：「其實舜是封象為諸侯，有人卻說是流放。」

萬章說：「舜把共工流放到幽州，把驩兜發配到崇山，把三苗之君驅逐到三危，在羽山殺掉了鯀，懲罰了這四個罪人而天下人都歸服，這就是討伐不仁了。象是極為不仁的，卻封為有庳國的侯。有庳國的人難道有罪嗎？仁人就是這樣做事嗎？——對別人，就討伐他，對弟弟，就封賞他？」

孟子說：「仁人對於弟弟呀，不把憤怒藏在心裏，不記仇，只是親近他、愛護他罷了。親近他，就要他顯貴；愛護他，就要他富有。封為有庳國的侯，就是使他富貴。自己做天子，弟弟卻是普通百姓，可以叫做親近他、愛護他嗎？」

萬章說：「請問有人說是流放，又是甚麼意思？」

孟子說：「象不能在他的國家有所作為，天子派官吏來治理他的國家，收繳貢稅，所以有人說是流放。象難道能夠殘害他的百姓嗎？儘管這樣，舜還想常常能見到他，所以不斷讓他來，『沒到繳納貢稅的時候，就以政治上的原因接待有庳』。說的就是這事。」

9.4

咸丘蒙問曰：「語云：盛德之士，君不得而臣，父不得而子。舜南面而立[1]，堯帥諸侯北面而朝之，瞽瞍亦北面而朝之。舜見瞽瞍，其容有蹙（cù）。孔子曰：

『於斯時也，天下殆哉，岌岌乎！』不識此語誠然乎哉？」

孟子曰：「否！此非君子之言，齊東野人之語也。堯老而舜攝也。《堯典》曰：『二十有八載，放勳乃徂（cú）落，百姓如喪考妣。三年，四海遏密八音[2]。』孔子曰：『天無二日，民無二王。』舜既為天子矣，又帥天下諸侯以為堯三年喪，是二天子矣。」

咸丘蒙曰：「舜之不臣堯，則吾既得聞命矣。《詩》云：『普天之下，莫非王土。率土之濱，莫非王臣。』而舜既為天子矣，敢問瞽瞍之非臣，如何？」

曰：「是詩也，非是之謂也。勞於王事而不得養父母也。曰：『此莫非王事，我獨賢勞也。』故說詩者不以文害辭，不以辭害志。以意逆志[3]，是為得之，如以辭而已矣，《雲漢》之詩曰[4]：『周餘黎民，靡有孑（jié）遺。』信斯言也，是周無遺民也。孝子之至，莫大乎尊親。尊親之至，莫大乎以天下養。為天子父，尊之至也。以天下養，養之至也。《詩》曰：『永言孝思，孝思維則。』此之謂也。《書》曰：『祗載見瞽瞍[5]，夔夔齋栗，瞽瞍亦允若[6]。』是為父不得而子也？」

注釋

1 南面：指做天子。古時天子見諸侯或群臣，都坐北朝南。2 遏：停止。密：無聲。八音：指金、石、絲、竹、匏、土、革、木八種樂器。3 逆：揣測。4《雲漢》：《詩經・大雅・雲漢》。5 祇：敬。載：事。6 允：信，確實。若：順。

譯文

咸丘蒙問道：「常言說：『道德最高的人，君主不得以他為臣，父親不得以他為子。』舜向南站立，堯帶領諸侯向北朝覲他，瞽瞍也向北朝覲他。舜見到瞽瞍，面有不安之色。孔子說：『在這個時候啊，天下岌岌可危啊！』不曉得這話是真的嗎？」

孟子說：「不是。這不是君子的話，是齊東野人的話。堯年老時，舜代他管理政務。《堯典》說：『過了二十八年後，堯死了，老百姓好像死了父母，服喪三年間，四海之內停止了一切音樂。』孔子說：『天上沒有兩個太陽，百姓沒有兩個君王。』如果舜在堯死前做了天子，又帶領天下諸侯為堯服喪三年，這就是同時有兩個君王了。」

咸丘蒙說：「舜不以堯為臣，我懂得您的教誨了。《詩經》說：『整個天下，沒有一塊土地不是王的土地；從陸地到海濱，沒有一個人不是王的臣民。』而舜既已經做了君王，瞽瞍卻還不是他的臣民，請問這是怎麼回事？」

孟子說：「這詩講的不是這個意思；詩裏說的是作者為王的公事而辛勞，不能夠奉養父母。他說：『這些事沒有一件不是王的公事，卻只有我一人辛勤勞苦。』所以講詩的人，不要憑個別文字歪曲了詞句，不要憑個別詞句歪曲了本意。用自己的體會揣度詩人的本意，這才對了。如果只是憑藉詞句，《雲漢》詩裏說：『周朝剩餘的老百姓，沒有一個遺留在世。』假如相信這話，那麼周朝是一個人都沒有留下了。孝子的極致，沒有比尊敬雙親更高的；尊敬雙親的極致，沒有比用整個天下來奉養他們更高的。身為天子的父親，是尊貴至極的；舜用天下來奉養，可說是奉養的極致。《詩經》上又說：『永遠保持孝心，孝心是天下的準則。』說的就是這個意思。《尚書》說：『恭恭敬敬來見瞽瞍，態度謹慎而恐懼，瞽瞍也確實順理而行了。』這難道是父親不能以他為子嗎？」

9.5

萬章曰：「堯以天下與舜，有諸？」

孟子曰：「否。天子不能以天下與人。」

「然則舜有天下也，孰與之？」

曰：「天與之。」

「天與之者，諄（zhūn）諄然命之乎？」

曰：「否。天不言，以行與事示之而已矣。」

曰：「以行與事示之者，如之何？」

曰：「天子能薦人於天，不能使天與之天下。諸侯能薦人於天子，不能使天子與之諸侯。大夫能薦人於諸侯，不能使諸侯與之大夫。昔者，堯薦舜於天而天受之，暴之於民而民受之。故曰：天不言，以行與事示之而已矣。」

「曰：敢問薦之於天而天受之，暴之於民而民受之，如何？」

曰：「使之主祭，而百神享之，是天受之；使之主事而事治，百姓安之，是民受之也。天與之，人與之，故曰天子不能以天下與人。舜相堯二十有八載，非人之所能為也，天也。堯崩，三年之喪畢，舜避堯之子於南河之南[1]，天下諸侯朝覲者，不之堯之子而之舜；訟獄者，不之堯之子而之舜；謳歌者，不謳歌堯之子而謳歌舜，故曰天也。夫然後之中國，踐天子位焉。而居堯之宮，逼堯之子，是篡也，非天與也。《太誓》曰：『天視自我民視，天聽自我民聽。』此之謂也。」

注釋

1 南河：即黃河，因在堯時都城的南面，故稱。

譯文

萬章說：「堯把天下給了舜，有這事嗎？」

孟子說：「沒有。天子不能把天下給人。」

「那麼舜享有天下，是誰給他的？」

孟子說：「天給他的。」

「天給他，是反覆叮嚀命令他的嗎？」

孟子說：「不。天不說話，只通過行為和政事顯示給他罷了。」

萬章說：「通過行為和政事顯示給他，是怎樣的？」

孟子說：「天子能把人推薦給天，卻不能讓天給他天下；諸侯能把人推薦給天子，卻不能讓天子給他諸侯之位；大夫能把人推薦給諸侯，卻不能讓諸侯給他大夫之位。從前堯把舜推薦給天而天接受了他，把舜顯示給老百姓而老百姓接受了他，所以說，天不說話，只通過行為和政事顯示給他罷了。」

「請問把舜推薦給天而天接受了他，把舜顯示給老百姓而老百姓接受了他，是怎樣的？」

孟子說：「讓他主持祭祀而百神享用，這是天接受了他；讓他主持政事而政事有條不紊，老百姓滿意他，這是老百姓接受了他。天下是天給他的，是老百姓給他的，所以說：天子不能把天下給人。舜輔佐堯二十八年，這不是一個人所能決定的，是天意。堯死後，三年的服喪期限也結束時，舜避開堯的兒子，到南河的南邊去。天下諸侯來朝見的，不到堯的兒子那裏而到舜那裏；打官司的，不到堯的兒子那裏而到舜那裏；歌頌的，不歌頌堯的兒子而歌頌舜，所以說是天意。這樣他才回到中國，繼承了天子的職位。如果是當初就住到堯的宮室裏，逼迫堯的兒子，那是篡奪，不是天給他。《太誓》說：『天用我們老百姓的眼睛來看，天用我們老百姓的耳朵來聽。』說的就是這個意思。」

萬章問曰：「人有言，『至於禹而德衰，不傳於賢而傳於子』，有諸？」

孟子曰：「否，不然也。天與賢，則與賢；天與子，則與子。昔者，舜薦禹於天，十有七年，舜崩。三年之喪畢，禹避舜之子於陽城，天下之民從之，若堯崩之後不從堯之子而從舜也。禹薦益於天，七年，禹崩。三年之喪畢，益避禹之子於箕山之陰。朝覲訟獄者不之益而之啟，曰：『吾君之子也。』謳歌者不謳歌益而謳歌啟，曰：『吾君之子也。』丹朱之不肖，舜之子亦不肖。舜之相堯、禹之相舜也，歷年多，施澤於民久。啟賢，能敬承繼禹之道。益之相禹也，歷年少，施澤於民未久。舜、禹、益相去久遠[1]，其子之賢不肖，皆天也，非人之所能為也。莫之為而為者，天也；莫之致而至者，命也。匹夫而有天下者，德必若舜、禹，而又有天子薦之者，故仲尼不有天下。繼世以有天下，天之所廢，必若桀、紂者也，故益、伊尹、周公不有天下。伊尹相湯以王於天下，湯崩，太丁未立，外丙二年，仲壬四年。太甲顛覆湯之典刑[2]，伊尹放之於桐，三年，太甲悔過，自怨自艾，於桐處仁遷義，三年，以聽伊尹之訓己也，復歸於亳（ㄅㄛˊ）。周公之不有天下，猶益之於夏、伊尹之於殷也。孔子曰：『唐虞禪，夏后殷周繼，其義一也。』」

注釋

1舜、禹、益相去久遠：指三者相距或久遠或短暫。按，舜相堯二十八年，禹相舜十七年，這是久遠者；益相禹只七年，是短暫者。2典刑：常法。

譯文

萬章問道：「有人說，『到了禹的時候道德就衰落了，他不傳位給賢人而傳給自己的兒子』，有這事嗎？」

孟子說：「不，不對的。天要授給賢人，就授給賢人；天要授給兒子，就授給兒子。從前，舜把禹推薦給天，十七年後，舜死了，三年服喪的期限結束後，禹避開舜的兒子到陽城去，可是天下的老百姓都跟從他，就像堯死後，老百姓不跟從堯的兒子而跟從舜一樣。禹也把益推薦給天，七年後，禹死了，三年服喪的期限結束後，益為避開禹的兒子躲到箕山北面去。朝見和打官司的人不到益那裏去，而到啟那裏去，說：『這是我們君主的兒子啊。』歌頌的人不歌頌益而歌頌啟，說：『這是我們君主的兒子啊。』堯的兒子丹朱不好，舜的兒子也不好。舜輔佐堯、禹輔佐舜，都歷時多年，對老百姓施與恩澤的時間長。啟是賢明的，能恭敬地繼承禹的作風。益輔佐禹，歷時較短，對老百姓施與恩澤的時間不長。舜和禹、禹和益，相距的時間或長或短，他們的兒子或者賢明，或者不好，都是天意，不是人的意志所能主宰。沒有人叫他們這樣去做，而做成了，這是天意；沒有人去爭取，而得到了，這是命運。以一個平頭百姓而享有天下，他的道德一定像舜和禹，而且又有天子推薦他，所以孔子沒趕上天子推薦，便不能享有天下。因世襲而享有天下，而天又把他廢棄的，一定是像桀、紂那樣的人，所以益、伊尹、周公沒趕上桀、紂那樣的，也便不能享有天下。伊尹輔佐湯統一了天下，湯死後，太丁未立就死了，外丙在位兩年，仲壬在位四年，太甲繼位後，破壞湯的法度，伊尹就把他流放到桐邑，三年之後，太甲悔過，自己怨恨，自己改正，在桐邑就自處於仁，自遷於義，三年過後，因為聽從伊尹對自己的教導而重新回到亳都做天子。周公不享有天下，就如益在夏、伊尹在殷的情況。孔子說：『唐堯、虞舜實行禪讓制，夏、商、周三代實行世襲制，道理是一樣的。』」

9.7

萬章問曰：「人有言『伊尹以割烹要湯』，有諸？」

孟子曰：「否，不然。伊尹耕於有莘之野，而樂堯、舜之道焉。非其義也，非其道也，祿之以天下弗顧也，繫馬千駟弗視也。非其義也，非其道也。一介不以與人[1]，一介不以取諸人。湯使人以幣聘之[2]，囂囂然曰：『我何以湯之聘幣為哉？我豈若處畎（quǎn）畝之中，由是以樂堯、舜之道哉？』湯三使往聘之，既而幡然改曰：『與我處畎畝之中，由是以樂堯、舜之道，吾豈若使是君為堯、舜之君哉？吾豈若使是民為堯、舜之民哉？吾豈若於吾身親見之哉？天之生此民也，使先知覺後知，使先覺覺後覺也。予，天民之先覺者也，予將以斯道覺斯民也。非予覺之而誰也？』思天下之民，匹夫匹婦有不被堯、舜之澤者，若己推而內（nà）之溝中，其自任以天下之重如此，故就湯而說之以伐夏救民。吾未聞枉己而正人者也，況辱己以正天下者乎？聖人之行不同也，或遠或近，或去或不去，歸潔其身而已矣。吾聞其以堯、舜之道要湯，未聞以割烹也。《伊訓》曰[3]：『天誅造攻自牧宮[4]，朕載自亳。[5]』」

注釋

1 介：即「芥」，草。比喻極輕微的東西。2 幣：帛。3《伊訓》：《尚書》篇名，已佚。今本《尚書》中的《伊訓》是偽古文。4 造：開始。牧宮：桀的宮室。5 朕：伊尹自稱。載：開始。

譯文

萬章問道：「有人說，『伊尹通過自己當廚師來向湯求職』，有這事嗎？」

孟子說：「不，不是這樣；伊尹在有莘國的郊野耕田，而喜愛堯、舜的道理。不合乎義的，不合乎道的，即使把天下當俸祿給他，他連頭都不回一下；即使有四千匹馬繫在那裏，他也不會看。不合乎義的，不合乎道的，一根草也不給人，一根草也不取於別人。湯打發人用幣帛聘任他，他自得地說：『我拿湯的聘禮幣帛幹甚麼？這難道比得上我獨處田野之中，由此來喜愛堯、舜的道理嗎？』湯多次打發人去聘任他，後來他翻然改變了態度，說：『我與其獨處田野之中，由此來喜愛堯、舜的道理，我何不如使這個君主成為堯、舜一樣的君主呢？我何不如使這些老百姓成為堯、舜時候的老百姓呢？我何不如自己親眼看見呢？上天生育老百姓，就是要使先知者喚醒後知者，使先覺者喚醒後覺者。我，是天下百姓中的先覺者；我將用這道理來使這些百姓覺悟。如果不是我來使他們覺悟，那還有誰呢？』他想到天下的百姓、男男女女有不能獲得堯、舜的恩澤的人，就像是自己把他們推到水溝裏去一樣。他就是這樣自己承擔天下的重擔，所以找到湯，用討伐夏桀、救助百姓的道理遊說他。我沒聽說過自己不正而能使別人端正的，何況是屈辱自己來端正天下呢？聖人的行為是不一樣的，有的疏遠君主，有的接近君主；有的離開，有的不離開；歸根結底都要使自己乾乾淨淨。我聽說他用堯、舜的道理來向湯求職，沒聽說通過自己當廚師來求職。《伊訓》說：『天的誅伐是從桀的牧宮裏開始的，我從商都亳邑開始。』」

萬章問曰：「或謂孔子於衛主癰疽（yōng jū）[1]，於齊主侍人瘠環[2]，有諸乎？」

孟子曰：「否，不然也。好事者為之也。於衛主顏讎由。彌子之妻與子路之妻，兄弟也。彌子謂子路曰：『孔子主我，衛卿可得也。』子路以告。孔子曰：『有命。』孔子進以禮，退以義，得之不得曰『有命』。而主癰疽與侍人瘠環，是無義無命也。孔子不悅於魯、衛，遭宋桓司馬將要（yāo）而殺之[3]，微服而過宋。是時孔子當阨，主司城貞子，為陳侯周臣。吾聞觀近臣，以其所為主；觀遠臣，以其所主。若孔子主癰疽與侍人瘠環，何以為孔子？」

注釋

1 主癰疽：以癰疽為主人，指住在癰疽家裏。癰疽：人名，衛靈公所寵倖的宦官。
2 侍人：即「寺人」，宦官。瘠環：人名。3 宋桓司馬：宋國司馬桓魋。要：攔截。

譯文

萬章問道：「有人說，孔子在衛國住在癰疽家裏，在齊國住在宦官瘠環家裏，有這回事嗎？」

孟子說：「不，不是這樣。這是好事之徒編出來的。他在衛國住在顏讎由家裏。彌子瑕的妻子和子路的妻子是姊妹。彌子瑕對子路說：『如果孔子住到我家裏，衛國的卿相之位便可得到。』子路把這話告訴孔子。孔子說：『得不得卿相之位是由天命決定的。』孔子依禮而進，依義而退，得到或得不到都說『由天命決定』。如果住在癰疽和宦官瘠環的家裏，都是無視道義、無視天命的。孔子在魯國、衞國不得意，又碰到宋國的司馬桓魋將攔截他要殺掉他，孔子換了服裝，悄悄走過宋國。這時孔子正處在困難的境地，住在司城貞子家裏，做陳侯周的臣。我聽説觀察在朝的臣子，看他所招待的客人；觀察遠來的臣子，看他所寄居的主人。如果孔子以癰疽和宦官瘠環為主人，怎麼能成為孔子？」

9.9

萬章問曰：「或曰：『百里奚自鬻（yù）於秦養牲者五羊之皮、食牛，以要秦穆公。』信乎？」

孟子曰：「否，不然。好事者為之也。百里奚，虞人也。晉人以垂棘之壁與屈產之乘[1]，假道於虞以伐虢（guó）。宮之奇諫，百里奚不諫。知虞公之不可諫而去之秦，年已七十矣，曾不知以食牛干秦穆公之為污也，可謂智乎？不可諫而不諫，可謂不智乎？知虞公之將亡而先去之，不可謂不智也。時舉於秦，知穆公之可與有行也而相之，可謂不智乎？相秦而顯其君於天下，可傳於後世，不賢而能之乎？自鬻以成其君，鄉黨自好者不為，而謂賢者為之乎？」

注釋

1 垂棘：晉國地名。屈：地名。乘：四匹馬。

譯文

萬章問道：「有人說：『百里奚用五張羊皮的價錢和為人餵牛的條件，把自己賣給秦國養牲畜的人，來向秦穆公求職。』可信嗎？」

孟子說：「不，不是這樣。這是好事者編出來的。百里奚，是虞國人。晉國人用垂棘的玉璧和屈地所產的四匹馬為代價，向虞國借路，要去攻打虢國。宮之奇向虞國的國君諫阻，百里奚不諫阻。他知道虞國國君不會接受諫議，因而離開虞國，到秦國去，那時他已經七十歲了，竟不懂得通過為人餵牛來向秦穆公求職是污濁的，可以叫明智嗎？但他卻是知道不可提出諫議就不諫議，這可以叫不明智嗎？知道虞國將要滅亡而提前離開虞國，也不能叫不明智。當時他在秦國被提拔，就知道秦穆公有所作為，因而輔佐他，這可以叫不明智嗎？輔佐秦國而使它的君主名揚天下，足以流傳於後世，不賢的人能辦到嗎？賣掉自己來成就他的君主，鄉里潔身自好的人都不幹，竟說賢者肯幹嗎？」

卷十 萬章下

本篇導讀——

共九章。第三、第四、第八章論交際之道。交友當以對方的品德為友，不可有所倚仗，而交際時應以恭敬為心。由此出發，對待當今諸侯的態度，應考慮到他們雖然多行不義，卻畢竟與攔路搶劫不同，所以要先教育他們，教而不改才有「殺」的問題。第六、第七、第九章，論君主養士尊賢之道和君臣關係，強調對士人應有充分的尊重；臣屬對於君主也不應絕對服從，而是有匡君諫主的義務。其他各章或論伯夷、伊尹、柳下惠、孔子作為聖人的不同之處，或述周王朝的爵祿制度。

孟子曰：「伯夷，目不視惡色，耳不聽惡聲。非其君不事，非其民不使。治則進，亂則退。橫（hèng）政之所出，橫民之所止，不忍居也。思與鄉人處，如以朝衣朝冠坐於塗炭也。當紂之時，居北海之濱，以待天下之清也。故聞伯夷之風者，頑夫廉，懦夫有立志。

「伊尹曰：『何事非君？何使非民？』治亦進，亂亦進，曰：『天之生斯民也，使先知覺後知，使先覺覺後覺。予，天民之先覺者也。予將以此道覺此民也。』思天下之民，匹夫匹婦有不與被堯、舜之澤者，若己推而內之溝中——其自任以天下之重也。

「柳下惠不羞污君，不辭小官。進不隱賢，必以其道。遺佚而不怨，厄窮而不憫。與鄉人處，由由然不忍去也[1]。『爾為爾，我為我，雖袒裼裸裎於我側，爾焉能浼我哉？』故聞柳下惠之風者，鄙夫寬，薄夫敦。

「孔子之去齊，接淅而行[2]。去魯，曰：『遲遲吾行也。』去父母國之道也。可以速而速，可以久而久，可以處而處，可以仕而仕，孔子也。」

孟子曰：「伯夷，聖之清者也；伊尹，聖之任者也；柳下惠，聖之和者也；孔子，聖之時者也。孔子之謂集大成。集大成也者，金聲而玉振之也[3]。金聲也者，始條理也；玉振之也者，終條理也。始條理者，智之事也；終條理者，聖之事也。

智，譬則巧也；聖，譬則力也。由射於百步之外也，其至，爾力也；其中，非爾力也。」

注釋 1由由然：怡然自得的樣子。2淅：淘米水。3金聲：指音樂開始演奏時，由金屬樂器鐘、鎛等最先發出的聲音。玉振：指演奏即將結束時由玉磬最後發出的聲音。

譯文 孟子說：「伯夷，眼睛不看不好的顏色，耳朵不聽不好的聲音。不是他理想的君主，不去服事，不是他理想的百姓，不去使喚。天下太平就進取，天下動亂就引退。暴政出現的地方，暴民停留的地方，他都不願意去住。他以為同鄉下人相處，就像穿着上朝的禮服，戴着上朝的禮帽坐在泥土和炭灰上。在商紂的時候，他住在北海的海濱，來等待天下清平。所以聽說過伯夷的風節的人，貪婪者也會變得廉潔，懦弱者也會有自立的意志。

「伊尹說：『服事誰不是服事君主，使喚誰不是使喚百姓？』天下太平他也進取，天下動亂他也進取，說：『天生育這些百姓，就要讓先知者喚醒後知者，讓先覺者喚醒後覺者。我，是天下人中的先覺者，我將用真理來喚醒老百姓。』他想到天下的百姓、男男女女有不能獲得堯、舜的恩澤的人，就像是自己把他們推到水溝裏去一樣——他就是這樣地自己承擔天下的重擔。

「柳下惠，不為事奉污濁的君主而感到羞恥，不辭去小官。做官時，不隱藏自己的賢能，一定照原則辦事。被遺棄時不抱怨，困窮時不發愁。與鄉下人相處，高高興興地不忍離去。照他的話說，『你是你，我是我，就算你赤身裸體在我身邊，又怎麼能污染我呢？』所以聽說過柳下惠的風節的人，鄙陋者變得寬宏大量，刻薄者變得溫柔敦厚。

「孔子離開齊國時，淘完米，等不及做飯就走；離開魯國，卻說：『我們慢慢走吧。』這是離開祖國的態度。可以快走就快走，可以久留就久留，可以不做官就不做官，可以做官就做官，這就是孔子。」

孟子說：「伯夷，是聖人中清高的人；伊尹，是聖人中負責任的人；柳下惠，是聖人中隨和的人；孔子，是聖人中識時務的人。孔子，可說是集大成的人。集大成，就像奏樂時先以擊打鐘鎛開場，再以敲擊玉磬收尾一樣，完完整整。擊打鐘鎛，是條理的開始；敲擊玉磬，是條理的終結。條理的開始，是運用智慧的事業；條理的終結，是完成聖德的事業。智慧，好比技巧；聖德，好比力量。就像在百步之外射箭，箭射到靶子，是你的力量在起作用；箭射中靶子，就不是你的力量在起作用了。」

北宮錡問曰：「周室班爵祿也，如之何？」

孟子曰：「其詳不可得聞也，諸侯惡其害己也，而皆去其籍；然而軻也嘗聞其略也。天子一位，公一位，侯一位，伯一位，子、男同一位，凡五等也。君一位，卿一位，大夫一位，上士一位，中士一位，下士一位，凡六等。天子之制，地方千里，公侯皆方百里，伯七十里，子、男五十里，凡四等。不能五十里，不達於天子，附於諸侯，曰附庸。天子之卿受地視侯[1]，大夫受地視伯，元士受地視子、男[2]。大國地方百里，君十卿祿，卿祿四大夫，大夫倍上士，上士倍中士，中士倍下士，下士與庶人在官者同祿，祿足以代其耕也。次國地方七十里，君十卿祿，卿祿三大夫，大夫倍上士，上士倍中士，中士倍下士，下士與庶人在官者同祿，祿足以代其耕也。小國地方五十里，君十卿祿，卿祿二大夫，大夫倍上士，上士倍中士，中士倍下士，下士與庶人在官者同祿，祿足以代其耕也。耕者之所獲，一夫百畝，百畝之糞[3]，上農夫食九人，上次食八人，中食七人，中次食六人，下食五人。庶人在官者，其祿以是為差。」

注釋　1 視：比，同。2 元士：上士。3 糞：施肥。

譯文　北宮錡問道：「周王朝規定官爵和俸祿的等級，是甚麼情況？」

孟子說：「詳細的情況不能了解了，由於諸侯厭惡那制度對自己的不利，都把文獻毀壞了；不過我曾經聽說過它的大致情況。普天下爵位的制度是，天子一級，公一級，侯一級，伯一級，子、男同為一級，共五等。各國官位的制度是，君主一級，卿一級，大夫一級，上士一級，中士一級，下士一級，共六等。俸祿的制度是，天子的土地，縱橫各一千里，公與侯都是縱橫各一百里，伯是縱橫各七十裏，子和男都是縱橫各五十里，共四等。不足五十里的小國，不能直接隸屬天子，而是附屬於諸侯，叫做附庸。天子的卿所受的封地與侯同樣大小，大夫所受的封地與伯同樣大小，元士所受的封地與子、男同樣大小。公、侯大國的土地縱橫各一百里，君主的俸祿是卿的十倍，卿的俸祿是大夫的四倍，大夫比上士多一倍，上士比中士多一倍，中士比下士多一倍，下士的俸祿和在官當差的老百姓相同，俸祿足夠代替他耕田的收入。中等國家的土地是縱橫各七十里，君主的俸祿是卿的十倍，卿的俸祿是大夫的三倍，大夫比上士多一倍，上士比中士多一倍，中士比下士多一倍，下士的俸祿和在官當差的老百姓相同，俸祿足夠代替他耕田的收入。小國的土地是縱橫各五十里，君主的俸祿是卿的十倍，卿的俸祿是大夫的二倍，大夫比上士多一倍，上士比中士多一倍，中士比下士多一倍，下士的俸祿和在官當差的老百姓相同，俸祿足夠代替他耕田的收入。農夫的所得，是一夫受田百畝。百畝地進行施肥耕種，上等的農夫可以養活九口人，上等偏下的農夫可以養活八口人，中等的農夫可以養活七口人，中等偏下的農夫可以養活六口人，下等的農夫可以養活五口人。老百姓在官家當差的，他們的俸祿也照這樣分等級。」

‖10.3

萬章問曰：「敢問友。」

孟子曰：「不挾長，不挾貴，不挾兄弟而友。友也者，友其德也，不可以有挾也。孟獻子，百乘之家也，有友五人焉：樂正裘，牧仲，其三人則予忘之矣。獻子之與此五人者友也，無獻子之家者也。此五人者，亦有獻子之家，則不與之友矣。非惟百乘之家為然也，雖小國之君亦有之。費（bì）惠公曰：『吾於子思則師之矣，吾於顏般則友之矣。王順、長息，則事我者也。』非惟小國之君為然也，雖大國之君亦有之。晉平公之於亥唐也，入云則入，坐云則坐，食云則食。雖蔬食菜羹，未嘗不飽，蓋不敢不飽也。然終於此而已矣，弗與共天位也，弗與治天職也，弗與食天祿也。士之尊賢者也，非王公之尊賢也。舜尚見帝，帝館甥於貳室，亦饗舜，迭為賓主，是天子而友匹夫也。用下敬上，謂之貴貴；用上敬下，謂之尊賢。

貴貴尊賢，其義一也。」

譯文

萬章問道：「請問怎樣交朋友。」

孟子說：「不倚仗自己的年長，不倚仗自己的顯貴，也不倚仗兄弟的勢力來交朋友。所謂友，是以對方的品德為友，不可有所倚仗。孟獻子，是擁有百輛車馬的大夫，他有五個朋友：樂正裘、牧仲，其他三人我忘了。獻子和這五人交朋友，心中沒有獻子是大夫的念頭。這五人，也是這樣，如果心存獻子是大夫的念頭，就不同他交朋友了。不僅擁有百輛車馬的大夫是這樣，即使是小國的君主也有這種人。費惠公說：『我對於子思，是把他當老師，我對於顏般，是把他當朋友。王順、長息，是服事我的。』不僅小國的君主是這樣，即使大國的君主也有這種人。晉平公對於亥唐，亥唐叫他進去，他才進去，叫他坐，他才坐，叫他吃飯，他才吃飯。即使是粗糙的米飯、菜羹，也不曾不吃飽，因為不敢不吃飽。但也僅此而已，並不和他共有君主之位，不和他一起處理政務，也不和他分享俸祿。這只是士人的尊賢，而不是王公的尊賢。舜拜見帝堯，帝堯請他這位女婿住在另一處官邸，也請舜吃飯，兩人輪着做東，這才是天子結交普通老百姓為友的態度。以地位卑微者尊敬地位顯貴者，這叫尊重貴人；以地位顯貴者尊敬地位卑微者，這叫尊重賢人。尊重貴人和尊重賢人，道理是一樣的。」

‖10.4

萬章問曰：「敢問交際何心也？」

孟子曰：「恭也。」

曰：「卻之卻之為不恭』，何哉？」

曰：「尊者賜之。曰：『其所取之者義乎，不義乎？而後受之，以是為不恭，故弗卻也。」

曰：「請無以辭卻之，以心卻之，曰：『其取諸民之不義也』，而以他辭無受，不可乎？」

曰：「其交也以道，其接也以禮，斯孔子受之矣。」

萬章曰：「今有禦人於國門之外者[1]，其交也以道，其饋也以禮，斯可受禦與？」

曰：「不可。《康誥》曰：『殺越人於貨[2]，閔不畏死[3]，凡民罔不譈（duì）。』是不待教而誅者也。殷受夏，周受殷，所不辭也。於今為烈，如之何其受之？」

曰：「今之諸侯取之於民也，猶禦也。苟善其禮際矣，斯君子受之，敢問何說也？」

曰：「子以為有王者作，將比今之諸侯而誅之乎[4]？其教之不改而後誅之乎？夫謂非其有而取之者盜也，充類至義之盡也。孔子之仕於魯也，魯人獵較[5]，孔子亦獵較。獵較猶可，而況受其賜乎？」

曰：「然則孔子之仕也，非事道與？」

曰：「事道也。」

「事道奚獵較也？」

曰：「孔子先簿正祭器[6]，不以四方之食供簿正。」

曰：「奚不去也？」

曰：「為之兆也[7]。兆足以行矣，而不行，而後去，是以未嘗有所終三年淹也[8]。孔子有見行可之仕[9]，有際可之仕，有公養之仕[10]。於季桓子，見行可之仕也。於衛靈公，際可之仕也。於衛孝公，公養之仕也。」

注釋

1 禦：阻止。這裏指攔路搶劫。2 越：虛詞，無義。於貨：取其貨。3 閔：通「暋」，強橫。4 比：同。5 較：爭奪。6 簿正：在簿書上規定。7 兆：開始。8 淹：停留。9 行可：可行其道。10 公養：指對一般賢者的禮節待遇等。

譯文

萬章問道：「請問交際時該持怎樣的心情？」

孟子說：「恭敬。」

萬章說：「常言道：『一再拒絕人家的禮物是不恭敬的。』為甚麼？」

孟子說：「尊貴的人有所賞賜，自己先考慮，『對方得到這禮物的辦法，是合乎義，還是不合乎義』，考慮妥當了，才接受，這樣做是不恭敬的，所以說不該拒絕。」

萬章說：「不要直說拒絕，而是心裏拒絕，心裏說『對方從老百姓那裏得到這東西的辦法，是不義的』，而用別的藉口推辭，不可以嗎？」

孟子說：「對方按規矩結交我，按禮節接待我，這樣的話，連孔子也都是會接受的。」

萬章說：「如今有個在城門外攔路搶劫的人，他按規矩結交我，按禮節饋贈我，這樣可以接受他搶來的東西嗎？」

孟子說：「不可以。《康誥》說：『殺人而搶奪人家的財物，強橫而不怕死，這種人，是沒有人不怨恨的。』這是不必先教育就可以殺掉的人。殷接受了夏這條法律，周接受了殷這條法律，沒有改動過。現在搶劫比以往還厲害，怎麼能接受呢？」

萬章說：「現在的諸侯對百姓巧取豪奪，和攔路搶劫一樣。如果搞好接待的禮節，君子就可以接受他的禮物，請問這有甚麼說頭？」

孟子說：「你認為今天假如有聖王興起，將把當今的諸侯通通殺掉嗎？還是教而不改再殺呢？不是自己所有，卻把它弄到手——把這種行為叫做強盜，這只是類推到義理的極端。孔子在魯國做官，魯國士大夫在打獵時爭奪獵物，孔子也在打獵時爭奪獵物。打獵時爭奪獵物都可以，何況接受賞賜呢？」

萬章說：「那麼，孔子做官，不是為了發揚道嗎？」

孟子說：「是為了發揚道。」

「為了發揚道，為甚麼還在打獵時爭奪獵物？」

孟子說：「孔子先在簿書上規定可用的祭器，又規定不得用別處打來的獵物供在簿書上所定的祭器內。」

萬章說：「孔子為甚麼不離開魯國呢？」

孟子說：「孔子是先試一下。試過了證明可行，而竟不得推行，這才離開，所以孔子不曾在一個地方待滿三年。孔子有時是因可行其道而做官，有時因君主對自己的禮遇不錯而做官，有時因君主養賢而做官。對季桓子，是因可行其道而做官；對衛靈公，是因君主對自己的禮遇不錯而做官；對衛孝公，是因君主養賢而做官。」

10.5

孟子曰：「仕非為貧也，而有時乎為貧。娶妻非為養也，而有時乎為養。為貧者，辭尊居卑，辭富居貧。辭尊居卑，辭富居貧，惡乎宜乎？抱關擊柝（tuò）[1]。孔子嘗為委吏矣，曰：『會計當而已矣。』嘗為乘田矣，曰：『牛羊茁壯長而已矣。』位卑而言高，罪也。立乎人之本朝而道不行，恥也。」

注釋

1 抱關：守門。柝：巡夜所敲的木梆。

譯文

孟子說：「做官不是因為貧困，但有時也是因為貧困。娶妻不是為了奉養父母，但有時也是為了奉養父母。為貧困而做官的，辭掉高官做小官，拒絕厚祿只領薄俸。辭掉高官做小官，拒絕厚祿只領薄俸，做甚麼合適呢？守門打更都行。孔子曾做過管倉庫的小官，說：『財物的出納沒差錯就行了。』也曾做過管理牧場的小吏，說：『牛羊都長得茁壯就行了。』地位低下而議論大事，那是罪過。在朝廷上做官而道得不到發揚，那是恥辱。」

萬章曰：「士之不託諸侯，何也？」

孟子曰：「不敢也。諸侯失國，而後託於諸侯，禮也。士之託於諸侯，非禮也。」

萬章曰：「君餽之粟，則受之乎？」

曰：「受之。」

「受之何義也？」

曰：「君之於氓也，固周之。」

曰：「周之則受，賜之則不受，何也？」

曰：「不敢也。」

曰：「敢問其不敢何也？」

曰：「抱關擊柝者皆有常職以食於上。無常職而賜於上者，以為不恭也。」

曰：「君餽之則受之，不識可常繼乎？」

曰：「繆公之於子思也，亟（qì）問，亟餽鼎肉。子思不悅。於卒也，摽（biào）使者出諸大門之外，北面稽首再拜而不受，曰：『今而後知君之犬馬畜伋[1]。』蓋自是臺（shī）無餽也[2]。悅賢不能舉，又不能養也，可謂悅賢乎？」

曰：「敢問國君欲養君子，如何斯可謂養矣？」

曰：「以君命將之[3]，再拜稽首而受。其後廩人繼粟，庖人繼肉，不以君命將之。子思以為鼎肉使己僕僕爾亟拜也[4]，非養君子之道也。堯之於舜也，使其子九男事之，二女女焉，百官牛羊倉廩備，以養舜於畎畝之中，後舉而加諸上位，故曰王公之尊賢者也。」

注釋

1 伋：子思之名。2 臺：通「始」，才。3 將：送。4 僕僕：煩擾的樣子。

譯文

萬章說：「士不依靠諸侯為生，這是為甚麼？」

孟子說：「因為不敢。諸侯喪失了自己的國家，然後流亡國外，依靠別的諸侯為生，這是禮；士依靠諸侯為生，是不合於禮的。」

萬章說：「君主所贈的糧食，就接受嗎？」

孟子說：「接受。」

「接受有甚麼道理？」

孟子說：「君主對於僑居本國的人，本來就該周濟。」

萬章說：「周濟他，就接受，賞賜他，就不接受，為甚麼？」

孟子說：「因為不敢。」

萬章說：「請問為甚麼不敢？」

孟子說：「守門打更的人都有固定的職務，來接受上面的給養。沒有固定的職務而接受上面的賞賜，人們以為這是不恭敬的。」

萬章說：「君主饋贈，就接受，不知道可以經常這樣嗎？」

孟子說：「魯繆公對於子思，屢次問候，屢次饋贈肉食。子思不高興。最後一次，他把使者趕出大門外，向北先磕頭，又拜了兩次，拒絕說：『今天才知道君主是像養狗養馬一樣地對待我。』大概從此以後才不再饋贈了。喜愛賢人卻不能任用他，又不能養他，可以叫做喜愛賢人嗎？」

萬章說：「請問國君要養君子的話，怎樣才可以叫做養呢？」

孟子說：「先給他傳達君主的旨意，他就先拜兩次，又磕頭，接受下來。以後管倉庫的人常送來糧食，管伙食的人常送來肉食，就不再傳達是君主的旨意了。子思認為為了一點肉食使自己不勝其煩地一拜再拜，不是養君子的方式。堯對於舜，打發自己的九個兒子服事他，兩個女兒嫁給她，百官、牛羊、倉庫都具備，把舜養在田野之中，以後又提拔他到最高的職位，所以說，這才是王公尊敬賢者的方式。」

萬章曰：「敢問不見諸侯，何義也？」

孟子曰：「在國曰市井之臣，在野曰草莽之臣，皆謂庶人。庶人不傳質為臣[1]，不敢見於諸侯，禮也。」

萬章曰：「庶人，召之役則往役，君欲見之，召之則不往見之，何也？」

曰：「往役，義也。往見，不義也。且君之欲見之也，何為也哉？」

曰：「為其多聞也，為其賢也。」

曰：「為其多聞也，則天子不召師，而況諸侯乎？為其賢也，則吾未聞欲見賢而召之也。繆公亟見於子思，曰：『古千乘之國以友士，何如？』子思不悅，曰：『古之人有言曰：事之云乎？豈曰友之云乎？』子思之不悅也，豈不曰：『以位，則子，君也；我，臣也；何敢與君友也？以德，則子事我者也，奚可以與我友？』千乘之君求與之友而不可得也，而況可召與？齊景公田，招虞人以旌，不至，將殺之。志士不忘在溝壑，勇士不忘喪其元。孔子奚取焉？取非其招不往也。」

曰：「敢問招虞人何以？」

曰：「以皮冠。庶人以旃（zhān）[2]，士以旂（qí）[3]，大夫以旌[4]。以大夫之招招虞人，虞人死不敢往。以士之招招庶人，庶人豈敢往哉？況乎以不賢人之招招賢人乎？欲見賢人而不以其道，猶欲其入而閉之門也。夫義，路也；禮，門也。

惟君子能由是路，出入是門也。《詩》云，『周道如底，其直如矢。君子所履，小人所視[5]。』」

萬章曰：「孔子，君命召，不俟駕而行，然則孔子非與？」

曰：「孔子當仕，有官職，而以其官召之也。」

注釋

1 質：通「贄」，見面禮。2 旃：赤色曲柄的旗。3 旂：上畫龍形，杆頭繫鈴的旗。4 旌：用旄牛尾和彩色鳥羽做杆飾的旗。5 視：注視，指看在眼裏。

譯文

萬章說：「請問士人不主動謁見諸侯，是甚麼道理？」

孟子說：「住在城市裏的，叫做市井之臣，住在田野裏的，叫做草莽之臣，都叫老百姓。老百姓，如果不是送了見面禮做了屬臣，就不敢去謁見諸侯，這是禮制。」

萬章說：「老百姓，召喚他服役，就去服役；君主要見他，召喚他，卻不去謁見，這是為甚麼？」

孟子說：「去服役，是義；去謁見，是不義。而且君主要見他，是為甚麼呢？」

萬章說：「因為他的見多識廣，因為他的賢能。」

孟子說：「如果是因為他的見多識廣，那麼，天子是不能召喚老師的，何況是諸侯呢？如果是因為他的賢能，那麼，我沒聽說過要見賢人卻隨便召喚他。魯繆公屢次去見子思，說：『古代擁有千輛兵車的國君與士人交友，是怎樣的？』子思不高興，說：『古人的話，說的是君主以士人為師，哪裏是說和他交友？』子思的不高興，難道不是這個意思：『論地位，那麼，你是君主，我是臣屬，怎麼敢和君主交朋友？論道德，那麼，你是向我學習的人，怎麼可以和我交朋友？』擁有千輛兵車的國君請求和他交朋友都不能夠，何況是召喚呢？齊景公田獵，用旌旗召喚管獵場的小吏，他不來，準備殺他。有志之士不怕棄屍溝壑，勇敢的人不怕丟掉腦袋。孔子贊同他甚麼？就是贊同這點，違背禮的召喚，他不去。」

萬章說：「請問召喚管獵場的小吏應該用甚麼？」

孟子說：「用皮帽子。召喚老百姓用旃，召喚士人用旂，召喚大夫用旌。用召喚大夫的旗幟來召喚獵場管理員，獵場管理員死也不敢去；用召喚士人的禮節來召喚老百姓，老百姓難道敢去嗎？何況用召喚不賢之人的禮節來召喚賢人呢？要見賢人而不走恰當的路，就好比要人家進來卻關着門。義，就是路；禮，就是門。只有君子能走這條路，出入這個門。《詩經》說：『大路平得像磨刀石，直得像箭；這是君子所行走的，是平民所關注的。』」

萬章說：「孔子，只要國君有召喚，不等車馬準備好就步行出發；那麼，孔子錯了嗎？」

孟子說：「那是孔子正在做官，有官職，國君用召喚官員的禮節召喚他。」

10.8

孟子謂萬章曰：「一鄉之善士斯友一鄉之善士，一國之善士斯友一國之善士，天下之善士斯友天下之善士。以友天下之善士為未足，又尚論古之人[1]。頌其詩[2]，讀其書，不知其人，可乎？是以論其世也，是尚友也。」

注釋

1 尚：上。2 頌：通「誦」，誦讀。

譯文

孟子對萬章說：「一個鄉村裏的優秀人物就同這一鄉村的優秀人物交朋友，一個國家裏的優秀人物就同這個國家的優秀人物交朋友，天下的優秀人物就同天下的優秀人物交朋友。和天下的優秀人物交朋友還不滿足，便又追論古人。吟誦他們的詩，研讀他們的著作，不了解他們的為人，可以嗎？所以要研究他們所處的時代，這就是上溯歷史，與古人交朋友。」

10.9

齊宣王問卿。孟子曰：「王何卿之問也？」

王曰：「卿不同乎？」

曰：「不同。有貴戚之卿，有異姓之卿。」

王曰：「請問貴戚之卿。」

曰：「君有大過則諫，反覆之而不聽，則易位。」

王勃然變乎色。

曰：「王勿異也。王問臣，臣不敢不以正對。」

王色定，然後請問異姓之卿。

曰：「君有過則諫，反覆之而不聽，則去。」

譯文

齊宣王問有關公卿的事。孟子說：「王問的是哪一種公卿？」

王說：「公卿還有所不同嗎？」

孟子說：「不同的。有和王室同宗族的公卿，也有和王室不同姓氏的公卿。」

王說：「我請問和王室同宗族的公卿。」

孟子說：「君王如果有重大錯誤，他就上諫；反覆上諫還不聽從，就廢棄他的王位改立別人。」

王突然變了臉色。

孟子說：「王不要詫異。王問我，我不敢不用正義來回答。」

王的臉色平靜以後，又問和王室不同姓氏的公卿。

孟子說：「君王如果有錯誤，他就上諫，反覆上諫還不聽從，自己就離職。」

卷十一 告子上

本篇導讀——

全篇二十章，意蘊豐富，前後貫通，自成體系，孟子內聖學之精義，盡粹於此。全篇論證始於孟子之駁斥告子所持仁義後天論及人性無定向學說；孟子則暗示人性有其特殊性，戳破告子之義外之說，進而申論仁義內在之旨，主張仁義禮智四端之心亦源自內在，證成人心有其普遍性，孟子認為人如不善加培養其內在善性，則易放失其良心。人能不「失其本心」，即可知所抉擇，捨生取義，故應致力於放失之心之恢復，明辨「大人」「小人」之區別，從其「大體」，以為「大人」之學，修其「天爵」，踐履其內在良貴，勉力行仁，使仁臻乎純熟之境，則自能以仁勝不仁。全篇二十章環環相扣，宗旨明確，曲暢旁通，前六章所論價值意識內在說，尤為全篇精神之所在。孟子學說的很多重要內容，舉凡聖凡之殊、義利之辨、夷夏之防、王霸之分、人禽之別、迷悟之判，皆可於本篇中獲得判斷之依據。

II.1

告子曰：「性，猶杞柳也；義，猶桮棬（bēi quān）也[1]。以人性為仁義，猶以杞柳為桮棬。」

孟子曰：「子能順杞柳之性而以為桮棬乎？將戕賊杞柳而後以為桮棬也？如將戕賊杞柳而以為桮棬，則亦將戕賊人以為仁義與？率天下之人而禍仁義者，必子之言夫！」

注釋

1 桮棬：器物名。桮，同「杯」。棬，用樹條編成的飲器。

譯文

告子說：「人的本性就像杞柳樹，義理就像杯盤；把人性納入到仁義當中，就像用杞柳樹來製作杯盤。」

孟子說：「你是順應杞柳樹的本性來製作杯盤呢？還是殘害它的本性來製成杯盤呢？如果要通過殘害杞柳樹本性的方式來製作杯盤，那麼也要殘害人的本性才能使人具有仁義嗎？帶領天下人來損害仁義的，一定是你的這種言論吧！」

II.2

告子曰：「性猶湍水也，決諸東方則東流，決諸西方則西流。人性之無分於善不善也，猶水之無分於東西也。」

孟子曰：「水信無分於東西，無分於上下乎？人性之善也，猶水之就下也。人無有不善，水無有不下。今夫水，搏而躍之，可使過顙；激而行之，可使在山。是豈水之性哉？其勢則然也。人之可使為不善，其性亦猶是也。」

譯文

告子說：「人性好比湍急的水流，從東方打開缺口就向東流，從西方打開缺口就向西流。人性不分善與不善，就好像水沒有東流、西流的分別。」

孟子說：「水的確沒有東流、西流的定向，難道也沒有上流、下流的定向嗎？人性的善良，就像水性趨向下流。人的本性沒有不善良的，水的本性沒有不向下流的。假如拍打水讓它飛濺起來，可以高過人的額頭；堵住水道讓它倒流，可以引上高山。然而，這難道是水的本性嗎？是所處形勢迫使它這樣的。人之所以能夠使他做壞事，是由於他的本性也像這樣受到了逼迫。」

11.3

告子曰：「生之謂性。」

孟子曰：「生之謂性也，猶白之謂白與？」

曰：「然。」

「白羽之白也，猶白雪之白；白雪之白，猶白玉之白與？」

曰：「然。」

「然則犬之性，猶牛之性；牛之性，猶人之性歟？」

譯文

告子說：「天生的東西叫做天性。」

孟子說：「天生的東西叫做天性，就像所有物體的白色都叫做白嗎？」

告子回答說：「是的。」

「這麼說，白羽毛的白就像白雪的白，白雪的白如同白玉的白嗎？」

告子回答說：「是的。」

「那麼，狗的天性就像牛的天性，牛的天性就像人的天性嗎？」

11.4

告子曰：「食、色，性也。仁，內也，非外也；義，外也，非內也。」

孟子曰：「何以謂仁內義外也？」

曰：「彼長而我長之，非有長於我也。猶彼白而我白之，從其白於外也，故謂之外也。」

曰：「（異於）白馬之白也[1]，無以異於白人之白也。不識長馬之長也，無以異於長人之長歟？且謂長者義乎？長之者義乎？」

曰：「吾弟則愛之，秦人之弟則不愛也，是以我為悅者也，故謂之內。長楚人之長，亦長吾之長，是以長為悅者也，故謂之外也。」

曰：「耆秦人之炙[2]，無以異於耆吾炙，夫物則亦有然者也，然則耆炙亦有外歟？」

注釋

1 異於：此二字疑為衍文。2 耆：同「嗜」。炙：烤熟的肉。

譯文

告子說：「飲食男女，是人的天性。仁是內在的，而不是外在的；義是外在的，而不是內在的。」

孟子說：「為甚麼說仁是內在的，而義是外在的呢？」

告子回答說：「他年紀大所以我尊敬他，並不是我內心原本就尊敬他。正如白色的東西我認為它白，是根據它外表的白色，所以說義是外在的。」

孟子說：「白馬的白和白人的白或許沒甚麼不同；但是不知道憐惜老馬和不知道尊敬年長的人，也是沒有甚麼不同嗎？而且你說的義，在於年長者一方呢？還是在於尊敬年長者的一方呢？」

告子回答說：「是我的弟弟就愛他，是秦國人的弟弟就不愛他，愛不愛是由我自己內心決定的，所以說仁是內在的。尊敬楚國的長者，也尊敬我自己的長者，尊敬與否，是由年長這個外在因素決定的，所以說義是外在的。」

孟子說：「喜歡吃秦國人的烤肉，和喜歡吃自己的烤肉沒甚麼不同，事物也有這種情況，那麼，喜歡吃烤肉的心也是外在的嗎？」

‖11.5

孟季子問公都子曰：「何以謂義內也？」

曰：「行吾敬，故謂之內也。」

「鄉人長於伯兄一歲，則誰敬？」

曰：「敬兄。」

「酌則誰先？」

曰：「先酌鄉人。」

「所敬在此，所長在彼，果在外，非由內也。」

公都子不能答，以告孟子。

孟子曰：「敬叔父乎？敬弟乎？彼將曰：『敬叔父。』曰：『弟為尸[1]，則誰

敬？』彼將曰：『敬弟。』子曰：『惡在其敬叔父也？』彼將曰：『在位故也。』子亦曰：『在位故也。庸敬在兄，斯須之敬在鄉人。』」

季子聞之，曰：「敬叔父則敬，敬弟則敬，果在外，非由內也。」

公都子曰：「冬日則飲湯，夏日則飲水，然則飲食亦在外也？」

注釋

1 尸：代死者受祭的人。男者以其孫或孫輩為尸。女者必異性，以其孫輩之婦為尸。

譯文

孟季子問公都子說：「為甚麼說義是內在的東西呢？」

公都子回答說：「恭敬發自我的內心，所以說是內在的東西。」

孟季子問：「同鄉人比你的大哥年長一歲，那你該恭敬誰呢？」

公都子說：「恭敬哥哥。」

「假如在一起喝酒，該先給誰斟酒？」

公都子說：「先給那個年長的鄉人斟酒。」

「所敬重的是哥哥，卻要向那個年長的鄉人敬酒，說明義果然是外在的，而不是內在的。」

公都子無法回答這個問題，於是將這件事告訴了孟子。

孟子說：「你問他，該恭敬叔父呢？還是恭敬弟弟？他會說：『恭敬叔父。』問他：

『弟弟如果做了受祭的代理人，那麼該恭敬誰呢？』他會說：『恭敬弟弟。』你再問：『那你為甚麼說要恭敬叔父呢？』他會說：『這是由於弟弟處在受恭敬位置的緣故。』你就說：『那也是由於本鄉長者處在先敬酒位置的緣故，平日恭敬的物件是哥哥，臨時的恭敬對象是同鄉。』」

季子聽了這話，說：「恭敬叔父是敬，恭敬弟弟也是敬，可見義是外在的，不是發自內心的。」

公都子說：「冬天喝熱水，夏天喝涼水，那麼飲食也取決於外物，而不是內在的需要嗎？」

11.6

公都子曰：「告子曰：『性無善無不善也。』或曰：『性可以為善，可以為不善。是故文、武興，則民好善；幽、厲興，則民好暴。』或曰：『有性善，有性不善。是故以堯為君而有象，以瞽瞍為父而有舜，以紂為兄之子且以為君，而有微子啟、王子比干[1]。』今曰『性善』，然則彼皆非歟？」

孟子曰：「乃若其情，則可以為善矣，乃所謂善也。若夫為不善，非才之罪也。惻隱之心，人皆有之；羞惡之心，人皆有之；恭敬之心，人皆有之；是非之心，人皆有之。惻隱之心，仁也；羞惡之心，義也；恭敬之心，禮也；是非之心，智也。仁義禮智，非由外鑠我也，我固有之也，弗思耳矣。故曰：『求則得之，舍則失之。』或相倍蓰而無算者，不能盡其才者也。《詩》曰：『天生蒸民，有物有則。民之秉彝，好是懿德。』孔子曰：『為此詩者，其知道乎！故有物必有則，民之秉彝也，故好是懿德。』」

注釋

1 微子啟：商紂王庶兄，名啟。曾屢次勸諫商紂。周滅商後，稱臣於周，後被封於宋，為宋國始祖。王子比干：商紂王的叔父，因屢次勸諫商紂，被剖心而死。

譯文

公都子說：「告子說：『人的本性沒有善和不善的問題。』有人說：『人的本性可以讓它善良，也可以讓它不善；因此，周文王、周武王當政的時候，百姓就趨於善良；周幽王、周厲王當政的時候，百姓就趨於殘暴。』又有人說：『有本性善良的，有本性不善良的；因此，有堯這樣的聖人做君主，卻有象這樣惡劣的百姓；有瞽瞍這樣的壞父親，卻有舜這樣的好兒子；有商紂這樣惡劣的侄兒，而且身為君主，卻有微子啟、王子比干這樣的仁人。』如今您說人本性善良，那麼他們說的都不對嗎？」

孟子說：「從人的天賦資質來看，是可以使它善良的，這就是我所說的人性善良。

至於有些人做壞事，不是天賦資質的錯。同情心，人人有；羞恥心，人人有；恭敬心，人人有；是非心，人人有。同情心即是仁，羞恥心即是義，恭敬心即是禮，是非心即是智。仁、義、禮、智，不是外人教我的，是我原本就有的，只是沒深入思考過罷了。因此說：『一經探求就會得到它，一加放棄就會失掉它。』人們之間有相差一倍、五倍甚至無數倍的，就是不能全部發揮出人的天賦資質的緣故。《詩經》說：『上天生養萬民，事物都有法則。百姓把握常規，喜愛美好品德。』孔子說：『作這首詩的人，一定是個了解大道的人啊！因此，有事物便有其不變的法則；百姓把握了它，所以喜歡美好的品德。』」

11.7

孟子曰：「富歲，子弟多賴（lǎn）；凶歲，子弟多暴。非天之降才爾殊也，其所以陷溺其心者然也。今夫麰（móu）麥，播種而耰（yōu）之[1]，其地同，樹之時又同，浡然而生，至於日至之時[2]，皆孰矣。雖有不同，則地有肥磽（qiāo），雨露之養、人事之不齊也。故凡同類者，舉相似也，何獨至於人而疑之？聖人與我同類者。故龍子曰：『不知足而為屨（jù），我知其不為蕢（kuì）也。』屨之相似，天下之足同也。口之於味，有同者也，易牙先得我口之所耆者也[3]。如使口之於味也，其性與人殊，若犬馬之與我不同類也，則天下何耆皆從易牙之於味也？至於味，天下期於易牙，是天下之口相似也。惟耳亦然。至於聲，天下期於師曠，是天下之耳相似也。惟目亦然。至於子都，天下莫不知其姣也。不知子都之姣者，無目者也。故曰：口之於味也，有同耆焉；耳之於聲也，有同聽焉；目之於色也，有同美焉。至於心，獨無所同然乎？心之所同然者何也？謂理也，義也。聖人先得我心之所同然耳。故理義之悅我心，猶芻豢之悅我口[4]。」

注釋

1 耰：古農具，用於碎土平田。文中指播種後，覆土保護種子。2 日至：指夏至和冬至。文中指夏至。3 易牙：春秋時齊桓公的寵臣。長於調味，善於逢迎，傳說曾烹其子為羹以獻齊桓公。4 芻豢：草食動物叫芻，如牛、羊等；穀食動物叫豢，如狗、豬等。

譯文

孟子說：「豐年，年輕人大多懶惰；災年，年輕人大多強暴，不是天生資質如此不同，而是所處的環境使他們心情變得糟糕。就拿大麥來說吧，撒下種子用土蓋好，如果土質相同，播種時間又相同，便會生機勃勃地長起來。到夏至的時候，都會成熟了。即使有所不同，那也是土地有肥有瘠，雨露滋養有多有少，人們勞作程度不同的緣故。因此說，凡是同類的事物，都是相似的，為何單單說到人，就心生疑問了呢？聖人也是和我們同類的人。因此，龍子說過：『不用看清腳樣去編草鞋，我知道編出來的不會是筐。』草鞋之所以相似，是由於天下人的腳都大致相同。嘴巴對於味道，有着同樣的嗜好；易牙是預先摸清了這一嗜好的人。假如嘴巴對於味道的感覺，因人而異，而且就像狗、馬和我們人類有着本質的不同一樣，那麼天下人為何都追隨易牙的口味呢？說到口味，天下人都希望成為易牙，這是由於天下人的味覺都相似。耳朵也是這樣。說到聲音，天下人都希望成為師曠，這是由於天下人的聽覺都相似。眼睛也是這樣。說到子都，天下沒有誰不知道他英俊。不知道子都的英俊的，是沒長眼睛的人。因此說，嘴巴對於味道，有着相同的嗜好；耳朵對於聲音，有着相同的聽覺；眼睛對於姿色，有着相同的美感。一說到心，難道就單單沒有甚麼相同的了嗎？人心所公認的東西是甚麼？是理，是義。聖人先於普通人得知了我們心中共同的東西。因此說，理義使我心愉悅，就像牛、羊、豬、狗的肉合我的口味一樣。」

‖11.8

孟子曰：「牛山之木嘗美矣，以其郊於大國也[1]**，斧斤伐之，可以為美乎？是其日夜之所息，雨露之所潤，非無萌櫱（niè）之生焉，牛羊又從而牧之，是以若**

彼濯（zhuó）濯也[2]。人見其濯濯也，以為未嘗有材焉，此豈山之性也哉？雖存乎人者，豈無仁義之心哉？其所以放其良心者，亦猶斧斤之於木也，旦旦而伐之，可以為美乎？其日夜之所息，平旦之氣，其好惡與人相近也者幾希，則其旦晝之所為，有梏亡之矣[3]。梏之反覆，則其夜氣不足以存。夜氣不足以存，則其違禽獸不遠矣。人見其禽獸也，而以為未嘗有才焉者，是豈人之情也哉？故苟得其養，無物不長；苟失其養，無物不消。孔子曰：『操則存，舍則亡；出入無時，莫知其鄉[4]。』惟心之謂與？」

注釋

1 郊：此指生長在郊外。大國：指臨淄，是當時的大城市。2 濯濯：光禿的樣子。3 梏：刑具名，木製手銬。此指器械。4 鄉：通「向」。

譯文

孟子說：「牛山的樹木曾經是繁茂的，可是它生長在大城市的郊外，總有斧子去砍伐它，還能長得繁茂嗎？這些樹木日夜不停地生長繁殖着，雨水露珠滋潤着它們，不是沒有新條、嫩芽長出來，可是人們又緊跟着在這裏放牧牛羊，因此才那樣光禿。人們看見那山光禿禿的，就以為它不曾生長過樹木，這難道是山的本性嗎？在人的身上，難道沒有仁義之心嗎？之所以有人失掉了他的善良之心，也像斧子對待樹木一樣，天天砍它，怎麼能讓它繁茂呢？他在日裏夜裏萌生的善心，他在清晨觸及的清新之氣，這些在他心中所引發的好惡跟一般人也有點接近。然而，到了第二天白天做出的事，就把那點與常人相同的善心給泯滅了。反反覆覆地泯滅，那麼他夜裏心中萌生的良善就不能存在下去；夜裏萌生的良善不能存留在心，那麼他就和禽獸相差無幾了。別人看見他是個禽獸，就以為他不曾有過好的資質，這難道是人的本性嗎？因此說，假如得到好的滋養，沒有東西不能生長；假如喪失了好的滋養，沒有東西不會消亡。孔子說：『抓住了就存在，放棄了就失去；出來進去沒有確定的時間，沒誰知道它的去向。』說的就是人心吧？」

11.9

孟子曰：「無或乎王之不智也[1]。雖有天下易生之物也，一日暴（pù）之，十日寒之，未有能生者也。吾見亦罕矣，吾退而寒之者至矣，吾如有萌焉何哉？今夫弈之為數[2]，小數也；不專心致志，則不得也。弈秋，通國之善弈者也。使弈秋誨二人弈，其一人專心致志，惟弈秋之為聽。一人雖聽之，一心以為有鴻鵠將至，思援弓繳（zhuó）而射之[3]，雖與之俱學，弗若之矣。為是其智弗若與？曰：非然也。」

注釋 1 或：通「惑」，疑惑。2 弈：圍棋。數：技藝。3 繳：繫於箭上的絲繩。

譯文 孟子說：「難怪王不聰明。天下即使有容易生長的植物，曬它一天後，又凍它十天，沒有能長得了的。我見您的次數也算很少了，我退居家中，把他冷淡到極點，縱使有善心萌動的情況，我能對它怎麼辦呢？下棋在各種技藝當中屬於很小的技藝；可是，如果不全心全意，就學不好。弈秋是全國的下棋高手。假如讓弈秋教兩個人學下棋，其中一個人一心一意地學，只聽弈秋的講解。另一個人雖然也聽着，但一心以為也許會有大雁飛來，想着拿起弓箭去射牠，雖然和前一個人一起學下棋，但卻不如那個人學得好。是因為他的聰明程度趕不上人家嗎？當然不是這樣。」

賞析與點評

學習一樣東西，做好一件事情，非專心一意、下苦功夫不可。

11.10

孟子曰：「魚，我所欲也，熊掌，亦我所欲也；二者不可得兼，舍魚而取熊掌者也。生，亦我所欲也，義，亦我所欲也；二者不可得兼，舍生而取義者也。生

亦我所欲，所欲有甚於生者，故不為苟得也；死亦我所惡，所惡有甚於死者，故患有所不辟也。如使人之所欲莫甚於生，則凡可以得生者，何不用也？使人之所惡莫甚於死者，則凡可以辟患者，何不為也？由是則生而有不用也，由是則可以辟患而有不為也，是故所欲有甚於生者，所惡有甚於死者。非獨賢者有是心也，人皆有之，賢者能勿喪耳。一簞（dān）食，一豆羹，得之則生，弗得則死，呼爾而與之，行道之人弗受；蹴（cù）爾而與之，乞人不屑也。萬鍾則不辯禮義而受之。萬鍾於我何加焉？為宮室之美、妻妾之奉、所識窮乏者得我與？鄉為身死而不受，今為宮室之美為之；鄉為身死而不受，今為妻妾之奉為之；鄉為身死而不受，今為所識窮乏者得我而為之，是亦不可以已乎？此之謂失其本心。」

譯文

孟子說：「魚是我喜愛的，熊掌也是我喜愛的；如果二者不能兼得，那麼就捨棄魚，而要熊掌。生命是我所喜愛的，大義也是我所喜愛的；如果二者不能兼得，那麼就犧牲生命，而去取義。生命是我所喜愛的，如果所喜愛的有比生存更重要的，因此就不苟且偷生；死是我所厭惡的，所厭惡的東西如果勝過了死亡，因此就不躲避禍患。如果使人所厭惡的沒有超過生命的，那麼所有能夠求生的方法，有甚麼不用的呢？如果使人所喜愛的沒有超過死亡的，那麼所有能夠躲避禍患的方法，哪有不用的呢？從中可以生存的辦法，卻有人不用；從中能夠躲避禍患的方法，卻有人不用，因此可以看出，有比生命更讓人想得到的，有比死亡更讓人厭惡的。不只是賢德的人有這種心理，人人都有，只是賢德的人沒有喪失它罷了。一筐飯，一碗湯，得到了就能活下來，得不到就會死，吆喝着給他，連過路的餓人都不願接受；用腳踩後再給人，連乞丐都不屑接受。有人面對萬鍾的俸祿就不管是否合乎禮義，欣然接受。萬鍾的俸祿對我有甚麼益處呢？為了住房的豪華、妻妾的侍奉、所認識的窮人感激我嗎？從前寧願去死都不肯接受的，現在為了住房的豪華而接受了；從前寧願去死都不願接受的，現在為了妻妾的侍奉而接受了；從前寧願去死都不肯接受的，現在為了自己認識的窮人感激我而接受了，這些不是可以不做的事嗎？這就叫失掉了他的本性。」

賞析與點評

「捨生而取義。」自古而今，能夠做到捨生取義的人，永遠都值得敬重，他們的生命其實在以另一種形式延續。

11.11

孟子曰：「仁，人心也；義，人路也。舍其路而弗由，放其心而不知求，哀哉！人有雞犬放，則知求之；有放心而不知求。學問之道無他，求其放心而已矣。」

譯文

孟子說：「仁指的是人心，義指的是人走的路。放棄那正道不走，喪失了善良的本性而不知道去尋找，可悲啊！人們有雞狗走丟了，便知道去找回來；有喪失了善心的，卻不知道去尋找。學問之道沒有別的，就是找回來那喪失了的善心罷了。」

11.12

孟子曰：「今有無名之指，屈而不信（shēn），非疾痛害事也，如有能信之者，則不遠秦、楚之路，為指之不若人也。指不若人，則知惡之；心不若人，則不知惡，此之謂不知類也。」

譯文

孟子說：「現在有人無名指彎曲伸展不開，不是很疼痛，也不妨礙做事，可是，如果有人能讓它重新伸直，那麼就是讓他前往秦國、楚國去治，他也不會覺得路遠，為的是無名指不及別人。手指不如別人，就知道厭惡；心性趕不上別人，卻不知道厭惡，這就叫不知輕重。」

11.13

孟子曰：「拱把之桐梓[1]，人苟欲生之，皆知所以養之者。至於身，而不知所以養之者，豈愛身不若桐梓哉？弗思甚也。」

注釋

1 拱把：指樹木尚小。拱，兩手合圍。把，一手所握。

譯文

孟子說：「一兩把粗的桐樹、梓樹，假如人想要它生長起來，都知道怎麼才能把它養大。說到自身，卻不知道如何去修養，難道對自己的愛還趕不上對桐樹、梓樹的愛嗎？實在是太不願動腦了。」

11.14

孟子曰：「人之於身也，兼所愛。兼所愛，則兼所養也。無尺寸之膚不愛焉，則無尺寸之膚不養也。所以考其善不善者，豈有他哉？於己取之而已矣。體有貴賤，有小大。無以小害大，無以賤害貴。養其小者為小人，養其大者為大人。今有場師，舍其梧檟（jiǎ）[1]，養其樲（èr）棘，則為賤場師焉。養其一指而失其肩背，而不知也，則為狼疾人也[2]。飲食之人，則人賤之矣，為其養小以失大也。飲食之人無有失也，則口腹豈適（chì）為尺寸之膚哉[3]？」

注釋

1 梧：梧桐樹。檟：即楸樹，木理細密，是上等木料。2 狼疾：即「狼藉」，糊塗。3 適：通「啻」，但，只。

譯文

孟子說：「人們對於自己的身體，無所不愛。全都愛護，就全都保養。沒有一尺、一寸的肌膚不愛護，那麼就沒有一尺、一寸的肌膚得不到保養。因此，考察他保養得好與不好，難道有別的好辦法嗎？只要看他重點養護的是哪些部分就可以了。身體有至關重要的部分，有微不足道的部分；有小的部分，有大的部分。不要因為小的部分而損害大的部分，不要因為微不足道的部分而損害至關重要的部分。能保養好小的部分的是小人，能保養好大的部分的是君子。假如說有這樣一個園藝家，把梧桐、梓樹丟在一邊，而去養護酸棗、荊棘，那麼他就是個不稱職的園藝家。假如有人只保養他的一根手指，而失掉了肩頭、後背的功能，自己卻還不知道，那便是個糊塗蟲。只在吃喝上下功夫的人，人們看不起他，因為他保養小的部分，而失掉了大的部分。如果講究吃喝的那些人沒丟掉思想的培養，那麼他們吃喝的目的難道只為保養口、腹這些小部分的需要嗎？」

公都子問曰：「鈞是人也，或為大人，或為小人，何也？」

孟子曰：「從其大體為大人，從其小體為小人。」

曰：「鈞是人也，或從其大體，或從其小體，何也？」

曰：「耳目之官不思，而蔽於物。物交物，則引之而已矣。心之官則思，思則得之，不思則不得也。此天之所與我者。先立乎其大者，則其小者不能奪也。此為大人而已矣。」

譯文

公都子問道：「同樣是人，有人是君子，有人是小人，這是為甚麼呢？」

孟子說：「順應身體重要器官需要的就是君子，順應身體次要器官需要的就是小人。」

公都子又問：「同樣是人，有人順應重要器官的需要，有人順應次要器官的需要，這又是為甚麼呢？」

孟子回答說：「耳朵、眼睛這類器官不會思考，所以被外物所蒙蔽。耳朵、眼睛也只不過是物。物與物接觸，便會受到誘惑罷了。心的功能在於思考，思考了就會有所得，不思考就一無所獲。這是上天賜予我們人類的。所以，心是重要器官。先把心這個重要器官的地位樹立起來，那麼，那些次要的器官就不能奪走人心中的善性。這樣就成為君子了。」

賞析與點評

本章是孟子心學的重要篇章，強調作為「大體」的「心」具有思的能力，而作為「小體」的「耳目之官」則欠缺「思」的能力。孟子指出：一切價值意識都源於心，「仁義禮智」，「我固有之」，「仁義禮智根於心」。

11.16

孟子曰：「有天爵者，有人爵者。仁義忠信，樂善不倦，此天爵也；公卿大夫，此人爵也。古之人修其天爵，而人爵從之。今之人修其天爵，以要人爵；既得人爵，而棄其天爵，則惑之甚者也，終亦必亡而已矣。」

譯文

孟子說：「有天賜爵位，有社會爵位。仁義忠信，行善且樂此不疲，這是天賜的爵位；公卿大夫，這是社會的爵位。古時的人，修養自己的天賜爵位，然後社會爵位就隨之而來。現在的人修養天賜爵位，以此來追逐社會爵位；得到社會爵位以後，就丟掉了天賜爵位，那實在是太糊塗了，最終必然連社會爵位也喪失掉。」

11.17

孟子曰：「欲貴者，人之同心也。人人有貴於己者，弗思耳。人之所貴者，非良貴也。趙孟之所貴[1]，趙孟能賤之。《詩》云：『既醉以酒，既飽以德。』言飽乎仁義也，所以不願人之膏粱之味也。令聞廣譽施於身，所以不願人之文繡也。」

注釋

1 趙孟：即春秋時晉國的執政大臣趙盾。此指代有權勢的人。

譯文

孟子說：「希求富貴，是人們的共同心理。每個人自身都有可寶貴的東西，只是不去想它罷了。別人給予的尊貴，不是真正的尊貴。趙孟所尊貴的，趙孟也能使他卑賤。《詩經》說：『酒已經喝醉，德已經享盡。』說的就是已經飽嘗了仁義之德，因而不羨慕人家肥肉、精米的美味；廣為人知的好名聲集於一身，因而不羨慕別人的錦繡衣裳。」

11.18

孟子曰：「仁之勝不仁也，猶水勝火。今之為仁者，猶以一杯水救一車薪之火也，不熄，則謂之水不勝火。此又與於不仁之甚者也，亦終必亡而已矣。」

譯文

孟子說：「仁能夠戰勝不仁，就像水能夠滅火。如今施行仁德的人，就像拿一杯水來救一車木柴燃起的大火；滅不了火，就說水不能撲滅火，這些人又和很不仁的人一樣了，最後連他們已有的那點仁德也會喪失掉。」

11.19

孟子曰：「五穀者，種之美者也。苟為不熟，不如荑稗（tí bài）。夫仁亦在乎熟之而已矣。」

譯文

孟子說：「五穀是莊稼中的好東西；可是如果沒成熟，還不如稗子之類的野草。仁也是這樣，關鍵在於使它成熟罷了。」

11.20

孟子曰：「羿之教人射，必志於彀（gòu）[1]。學者亦必志於彀。大匠誨人，必以規矩，學者亦必以規矩。」

注釋

1 彀：把弓拉滿。

譯文

孟子說：「羿教人射箭，一定要讓人把弓拉滿；學習的人也一定要努力把弓拉滿。技藝高超的木工教導人，一定要遵循規矩，學習的人也一定要遵循規矩。」

卷十二 告子下

本篇導讀——

共十六章。包含內容較多，且較零散。其中，觀點較為集中的是第七章到第十一章，主要圍繞「尊王抑霸」、「實行仁政」這個主題展開，堅定地高揚王道，反對霸道；抨擊窮兵黷武，批評為政不仁。其他章節，涉及內容還包括關於禮儀重要性的論辯；關於君子修身之道的論述，鮮明地提出「人皆可以為堯、舜」、「聖人可學而至」的觀點，鼓勵士人以聖人為榜樣，積極行道。講求誠信，加強自身修養，尤其是逆境下的修養和奮鬥，進而提出「生於憂患而死於安樂」的著名論點；有關於君子為政之道的論述，提出了君子出世任職的原則，使士人明確在哪些情況下可以出來做官。

任人有問屋廬子曰：「禮與食孰重？」

曰：「禮重。」

「色與禮孰重？」

曰：「禮重。」

曰：「以禮食，則飢而死；不以禮食，則得食，必以禮乎？親迎[1]，則不得妻；不親迎，則得妻，必親迎乎？」

屋廬子不能對。明日之鄒，以告孟子。

孟子曰：「於！答是也，何有？不揣其本，而齊其末，方寸之木可使高於岑樓。金重於羽者，豈謂一鉤金與一輿羽之謂哉[2]？取食之重者與禮之輕者而比之，奚翅食重[3]？取色之重者與禮之輕者而比之，奚翅色重？往應之曰：『紾（zhěn）兄之臂而奪之食，則得食；不，則不得食，則將紾之乎？踰（yú）東家牆而摟其處子，則得妻；不摟，則不得妻；則將摟之乎？』」

注釋

1 親迎：古代婚禮儀式之一，新郎親自到女方家迎娶新娘。2 一鉤金：帶鉤用金半鈞，重量為三錢多。3 翅（chì）：通「啻」，只，但。

譯文

有個任國人問屋廬子說：「禮儀和飲食哪個重要？」

屋廬子回答說：「禮儀重要。」

「娶妻和禮儀哪個重要？」

屋廬子說：「禮儀重要。」

任國人繼續問：「如果依照禮儀去謀食，就會餓死；不依禮儀去謀食，就能得到吃的，那麼一定要遵守禮法嗎？依親迎禮行事，就得不到妻子；不依親迎禮行事，就能得到妻子，那麼一定要依親迎禮嗎？」

屋廬子回答不上來，第二天去鄒國，把任國人的話告訴孟子。

孟子說：「回答這個問題有甚麼難的呢？不去度量根基的高低，而只讓頂端平齊，這樣的話，一寸厚的小木塊，若是放在高處，都可以使它高過尖角的高樓。金子比羽毛重，難道能因此說三錢多重的金子比一車羽毛都重嗎？如果拿飲食的重要方面來和禮儀的次要方面對比，何止是吃的重要？拿婚姻的重要方面和禮儀的次要方面對比，何止是娶妻重要？你去跟他說：『扭住哥哥的胳膊，搶他的飯吃，就能得到吃的；不扭他的胳膊，就得不到吃的，那麼就該去扭嗎？跨過東鄰家的院牆，摟抱未出嫁的女子，就會得到妻子；不摟抱，就得不到妻子，那麼就該去摟抱嗎？』」

曹交問曰：「人皆可以為堯、舜，有諸？」

孟子曰：「然。」

「交聞文王十尺，湯九尺。今交九尺四寸以長，食粟而已，如何則可？」

曰：「奚有於是？亦為之而已矣。有人於此，力不能勝一匹雛，則為無力人矣。今曰舉百鈞，則為有力人矣。然則舉烏獲之任[1]，是亦為烏獲而已矣。夫人豈以不勝為患哉？弗為耳。徐行後長者謂之弟，疾行先長者謂之不弟。夫徐行者，豈人所不能哉？所不為也。堯、舜之道，孝弟（tì）而已矣。子服堯之服，誦堯之言，行堯之行，是堯而已矣。子服桀之服，誦桀之言，行桀之行，是桀而已矣。」

曰：「交得見於鄒君，可以假館，願留而受業於門。」

曰：「夫道若大路然，豈難知哉？人病不求耳。子歸而求之，有餘師。」

注釋

1 烏獲：人名，秦武王時的力士。文中代指力士。

譯文

曹交問道：「人人都可以成為堯、舜，有這話嗎？」

孟子說：「有。」

「我聽說周文王身長一丈，商湯身長九尺，現在我身長九尺四寸，只會吃飯罷了，要怎樣才可以成為堯、舜呢？」

孟子說：「這有甚麼關係呢？只要去做就可以了。假如有個人，他的力氣提不起一隻小雞，那麼他就是個沒力氣的人；假如他能舉起三千斤，就是個有力氣的人了。那麼，舉得起烏獲所能承受的重量的，也就是烏獲了。人難道該為不能勝任發愁嗎？只是不去做罷了。在長者身後慢慢走，叫做悌；快步走到長者前邊去，叫做不悌。慢一點走，難道是人做不到的事嗎？只是不去做罷了。堯、舜之道，就是孝和悌而已。你穿上堯的衣服，說堯說的話，做堯做的事，你就是堯了。你穿桀的衣服，說桀說的話，幹桀幹的事，你就是桀了。」

曹交說：「我要是能見到鄒國國君，就向他借個住處，願意留下來在您門下學習。」

孟子回答說：「道就像條大路，難道難以知曉嗎？人的缺點在於不去尋求罷了。你回去找找，老師多着呢。」

賞析與點評

「人皆可以為堯舜。」——孟子基於性善論，肯定「人皆可以為堯舜」，鼓勵人人向善、個個都能有所作為，反對自慚形穢、妄自菲薄。不過，要自我完善、自我提升，也並非輕而易舉，它取決於個人的自制力如何。

公孫丑問曰：「高子曰：《小弁（pán）》[1]，小人之詩也。」

孟子曰：「何以言之？」

曰：「怨。」

曰：「固哉，高叟之為詩也！有人於此，越人關（wān）弓而射之，則己談笑而道之，無他，疏之也。其兄關弓而射之，則己垂涕泣而道之，無他，戚之也。《小弁》之怨，親親也。親親，仁也。固矣夫，高叟之為詩也！」

曰：「《凱風》何以不怨[2]？」

曰：「《凱風》，親之過小者也；《小弁》，親之過大者也。親之過大而不怨，是愈疏也；親之過小而怨，是不可磯（jī）也[3]。愈疏，不孝也；不可磯，亦不孝也。孔子曰：『舜其至孝矣，五十而慕。』」

注釋

1《小弁》：《詩經．小雅》中的詩篇。2《凱風》：《詩經．邶風》中的詩篇。通篇是自責以安慰母親的言詞。3 磯：激怒，觸犯。

譯文

公孫丑問道：「高子說：《小弁》這首詩是小人寫的。」

孟子說：「憑甚麼這麼說呢？」

公孫丑回答說：「因為詩裏含有怨恨之意。」

孟子說：「高老先生講詩實在是太機械了。假如說有這麼個人，越國人開弓去射他，那麼他會笑着講述此事；沒有別的原因，因為越國人和他關係很遠。如果是他的哥哥開弓去射他，他會流着眼淚講述此事；沒有別的原因，因為哥哥是他的親人。《小弁》的怨恨，正是出於對親人的愛。熱愛親人是仁的體現。高老先生講詩實在是太機械了！」

公孫丑說：「《凱風》這首詩為甚麼沒有怨恨之意呢？」

孟子答道：「《凱風》這首詩，母親的過錯不大；《小弁》這首詩，父親的過錯很大。父母的過錯很大，卻不怨恨，這是越發疏遠他們了。父母的過錯不大，卻去怨恨他們，是受不得刺激。越發疏遠是不孝；受不得刺激，也是不孝。孔子說：『舜大概是最孝順的了，五十歲還依戀父母。』」

12.4

宋牼（kēng）將之楚，孟子遇於石丘，曰：「先生將何之？」

曰：「吾聞秦、楚構兵，我將見楚王說而罷之。楚王不悅，我將見秦王說而罷之。二王我將有所遇焉。」

曰：「軻也請無問其詳，願聞其指[1]。說之將何如？」

曰：「我將言其不利也。」

曰：「先生之志則大矣，先生之號則不可。先生以利說秦、楚之王，秦、楚之王悅於利，以罷三軍之師，是三軍之士樂罷而悅於利也。為人臣者懷利以事其君，為人子者懷利以事其父，為人弟者懷利以事其兄，是君臣、父子、兄弟終去仁義，懷利以相接，然而不亡者，未之有也。先生以仁義說秦、楚之王，秦、楚之王悅於仁義，而罷三軍之師，是三軍之士樂罷而悅於仁義也。為人臣者懷仁義以事其君，為人子者懷仁義以事其父，為人弟者懷仁義以事其兄，是君臣、父子、兄弟去利，懷仁義以相接也，然而不王者，未之有也。何必曰利？」

注釋

1 指：意指，意向。

譯文

宋牼要到楚國去，孟子在石丘遇到他，孟子說：「您要到哪兒去？」

宋牼回答說：「我聽說秦國和楚國要開戰，我要去面見楚王勸說他罷兵。假如楚王不聽的話，我就去面見秦王勸他罷兵。這兩個國君總會有一個聽我話的。」

孟子說：「我不想問您詳細情況，願聽聽你的大意。您打算怎樣去勸說他們呢？」

宋回答說：「我打算說說交戰的不利之處。」

孟子說：「您的志向是很好的，然而您的提法卻行不通。您用利來勸說秦王、楚王，秦王、楚王因為有利可圖而歡喜，於是終止軍事行動，這樣的話，軍隊的將士就會為休戰而高興，從而喜歡利。做臣子的，懷着利益之心去侍奉他的君主，做兒子的懷着利益之心去侍奉他的父親，做弟弟的懷着利益之心去侍奉他的兄長，這就會導致君臣、父子、兄弟之間最終都會拋棄仁義，懷着利益之心交往，在這種情況下國家不滅亡的，還沒有過。您若以仁義去勸說秦王、楚王，秦王、楚王喜歡仁義而高興，於是撤除軍隊，這會使軍隊將士高興休兵，進而喜歡仁義。做臣子的懷着仁義之心去侍奉他的君主，做兒子的懷着仁義之心去侍奉他的父親，做人弟弟的懷着仁義之心去侍奉兄長，這會使君臣、父子、兄弟去除求利的念頭，而懷着仁義之心交往，這樣卻不能統一天下，是不曾有過的。為甚麼一定要談到『利』呢？」

12.5

孟子居鄒。季任為任處守，以幣交，受之而不報。處於平陸，儲子為相，以幣交，受之而不報。他日，由鄒之任，見季子；由平陸之齊，不見儲子。屋廬子喜曰：「連得間矣[1]！」問曰：「夫子之任，見季子，之齊，不見儲子，為其為相與？」曰：「非也。《書》曰：『享多儀[2]，儀不及物曰不享，惟不役志于享。』為其不成享也。」

屋廬子悅。或問之，屋廬子曰：「季子不得之鄒，儲子得之平陸。」

注釋

1 連：屋廬子的名。2 多：稱讚。

譯文

孟子住在鄒國的時候，季任留守任國，代理政事，送禮物給孟子，想交個朋友，孟子收下了禮物，但沒有回謝。當孟子住在平陸的時候，儲子做齊國卿相，送禮物給孟子，想交朋友，孟子也收下了禮物而沒有回謝。過了些日子，孟子從鄒國到任國去，拜訪了季子；從平陸到齊都去，卻沒有拜訪儲子。屋廬子高興地說：「這回我可找到老師的岔子了。」於是問道：「您到任國去，拜訪了季子；到齊都，卻沒拜訪儲子，是因為儲子只是個卿相嗎？」

孟子回答說：「不是這樣。《尚書》說：『享獻之禮推重儀節，如果儀節沒有到位，禮物再多也不算是享獻，因為沒有用心於此。』是因為這樣不稱其為享獻。」

屋廬子很高興。有人問他，屋廬子回答說：「季子無法親自到鄒國去拜訪先生，儲子卻可以親自到平陸去拜訪。」

淳于髡曰：「先名實者，為人也；後名實者，自為也。夫子在三卿之中[1]，名實未加於上下而去之，仁者固如此乎？」

孟子曰：「居下位，不以賢事不肖者，伯夷也。五就湯，五就桀者，伊尹也。不惡汙君，不辭小官者，柳下惠也。三子者不同道，其趨一也。一者何也？曰：仁也。君子亦仁而已矣，何必同？」

曰：「魯繆公之時，公儀子為政，子柳、子思為臣，魯之削也滋甚。若是乎，賢者之無益於國也！」

曰：「虞不用百里奚而亡，秦繆公用之而霸。不用賢則亡，削何可得與？」

曰：「昔者王豹處於淇，而河西善謳。綿駒處於高唐，而齊右善歌；華周杞梁之妻善哭其夫而變國俗。有諸內，必形諸外。為其事而無其功者，髡未嘗睹之也。是故無賢者也，有則髡必識之。」

曰：「孔子為魯司寇，不用，從而祭，燔（fán）肉不至，不稅（tuō）冕而行。不知者以為為肉也，其知者以為為無禮也。乃孔子則欲以微罪行，不欲為苟去。君子之所為，眾人固不識也。」

注釋

1 三卿：在孟子所處時代，一般指上卿、亞卿和下卿。

譯文

淳于髡說：「把名聲功業看得很重的人，是為了濟世救民；不很看重名聲功業的人，是為了獨善其身。您是齊國三卿之一，有關上助君王、下救百姓的名聲、功業都沒有，就要離開齊國，仁者難道原本就是這樣的嗎？」

孟子說：「身處卑賤的地位，不以自己賢能之身侍奉無德之君，這是伯夷；五次前往商湯那裏，又五次前往夏桀那裏的，這是伊尹；不厭惡污濁之君，不拒絕做個小官的人是柳下惠。這三個人的處世之道並不相同，但大方向是一致的。這一致的東西是甚麼呢？應該說就是仁。君子做到仁就可以了，為甚麼一定要處處相同呢？」

淳于髡說：「魯穆公的時候，公儀子執政，子柳、子思當大臣，魯國的國土削減得更厲害了；賢人對國家是這樣的沒有好處呀！」

孟子說：「虞國不任用百里奚，因而亡國；秦穆公重用百里奚，因而稱霸。不任用賢人就會導致滅亡，想要勉強支撐都是做不到的。」

淳于髡說：「從前王豹住在淇水邊的時候，住在河西的人都善於唱歌；綿駒住在高唐，齊國西部的人都善唱歌；華周、杞梁的妻子擅長哭夫，因而改變了國家的民俗。裏面存在的東西，一定會體現在外面。做某種事，卻不見功效的，我從未見過。因此說，是沒有賢人；有的話，我一定會知道他。」

孟子説：「孔子做魯國司寇的時候，不被重用，跟隨君主祭祀，祭肉沒有送到他這裏，於是沒顧上摘掉祭祀戴的禮帽，就離開了。不了解孔子的人以為他是為了祭肉的緣故，了解孔子的人認為他是為了魯君的失禮而離開的。至於孔子，他就是想要擔點小罪名離開，不想隨便走掉。君子所做的事，普通人本來就不能了解。」

12.7

孟子曰：「五霸者，三王之罪人也。今之諸侯，五霸之罪人也。今之大夫，今之諸侯之罪人也。天子適諸侯曰巡狩，諸侯朝於天子曰述職。春省耕而補不足，秋省斂而助不給。入其疆，土地辟，田野治，養老尊賢，俊傑在位，則有慶，慶以地。入其疆，土地荒蕪，遺老失賢，掊克在位[1]，則有讓。一不朝，則貶其爵，再不朝，則削其地，三不朝，則六師移之。是故天子討而不伐，諸侯伐而不討。五霸者，摟諸侯以伐諸侯者也。故曰，五霸者，三王之罪人也。五霸，桓公為盛。葵丘之會諸侯，束牲、載書而不歃（shà）血[2]。初命曰：『誅不孝，無易樹子，無以妾為妻。』再命曰：『尊賢育才，以彰有德。』三命曰：『敬老慈幼，無忘賓旅。』四命曰：『士無世官，官事無攝[3]，取士必得，無專殺大夫[4]。』五命曰：『無曲防[5]，無遏糴（dí），無有封而不告。』曰：『凡我同盟之人，既盟之後，言歸於好。』今之諸侯皆犯此五禁，故曰，今之諸侯，五霸之罪人也。長君之惡其罪小，逢君之惡其罪大。今之大夫皆逢君之惡，故曰，今之大夫，今之諸侯之罪人也。」

注釋

1 掊克：依《經典釋文》為「聚斂」之意。2 載書：把盟書放在犧牲上。歃血：盟誓時殺牲而飲其血以示誠信。3 攝：代理。4 專：專擅，獨斷獨行。5 曲：無不，遍。

譯文

孟子說：「五霸，是三王的罪人；如今的諸侯，是五霸的罪人；如今的大夫，是諸侯的罪人。天子到諸侯那裏巡視叫巡狩，諸侯到天子那裏朝拜叫述職。天子巡狩，春天視察耕種的情況，彌補財力不足的百姓；秋天視察收藏的情況，賑濟糧食短缺的百姓。進入諸侯的疆土，如果土地得到開闢，田野得到治理，老人得到供養，賢人得到尊敬，傑出的人得以做官，那麼就有封賞；拿土地來封賞。如果進入到諸侯的疆土，發現土地得不到開墾，老人得不到供養，賢人得不到任用，聚斂之人得以做官，就有責罰。一次不朝拜，就要降低他的爵位；兩次不朝拜，就要削減他的封地；三次不朝拜，就要把軍隊開過去。因此，天子出兵是討而不是伐，諸侯出兵是伐而不是討。五霸，是聚合一部分諸侯去攻打另一部分諸侯的人，因此說，五霸是三王的罪人。五霸當中，齊桓公影響最大。在葵丘盟會諸侯，捆綁好犧牲，把盟書放在犧牲身上，而沒有飲血。第一條盟約說，聲討不孝之人，不要廢立太子，不要立妾為妻。第二條盟約說，尊重賢人，培養人才，用來表彰有德之人。第三條盟約說，尊重老人，愛護幼小，不要慢待賓客、旅客。第四條盟約說，士人的官職不可世代相傳，公家職務不可兼任，選用士人一定要得當，不可擅自殺戮大夫。第五條盟約說，不可到處構築堤防，不可阻止鄰國來採購糧食，不可施行封賞而不告訴盟主。說，所有參與這次同盟的人，在訂立盟約以後，恢復從前的友好關係。如今的諸侯都觸犯了這五條禁令，因此說，如今的諸侯是五霸的罪人。助長君主的惡行，是小罪；逢迎君主的惡行，罪過就大了。如今的大夫都逢迎君主的惡行，因此說，如今的大夫，是諸侯的罪人。」

12.8

魯欲使慎子為將軍。孟子曰：「不教民而用之，謂之殃民。殃民者，不容於堯、舜之世。一戰勝齊，遂有南陽[1]，然且不可——」

慎子勃然不悅，曰：「此則滑釐（xī）所不識也[2]。」

曰：「吾明告子：天子之地方千里，不千里，不足以待諸侯。諸侯之地方百里，不百里，不足以守宗廟之典籍。周公之封於魯，為方百里也，地非不足，而儉於百里。太公之封於齊也，亦為方百里也，地非不足也，而儉於百里。今魯方百里者五，子以為有王者作，則魯在所損乎，在所益乎？徒取諸彼以與此，然且仁者不為，況於殺人以求之乎？君子之事君也，務引其君以當道，志於仁而已。」

注釋

1南陽：地名，即汶陽。在泰山西南，汶水之北，是春秋時期齊、魯兩國爭奪的要地。2滑釐：即上文的慎子。識：知道。

譯文

魯國要讓慎子做將軍。孟子說：「不對百姓施行教化就使用他們作戰，這叫殘害百姓。殘害百姓的人，在堯、舜那個時代是絕對不能容許的。打一次仗，戰勝齊國，於是擁有南陽，這樣尚且不可以——」

慎子勃然不高興地說：「這可是我所不知道的。」

孟子說：「我明白地告訴你。天子的土地方圓千里；不夠一千里的話，就不能夠接待諸侯。諸侯的土地方圓百里；不夠百里的話，就不能守住祖宗傳下來的禮法制度。周公被封於魯，方圓一百里；土地不是不夠，可實際上少於一百里。太公被封於齊，也是方圓一百里；土地不是不夠，可實際上少於一百里。如今魯國有五個方圓一百里的土地範圍，你認為如果有聖主明王興起的話，那麼魯國的土地會處在被減損之列，還是被增加之列呢？不用兵力只是從那個國家拿來東西給予這個國家，仁人尚且不去做，何況用殺人的方式去求取土地呢？君子侍奉君主，應一心一意地引導君王走正路，用心於仁罷了。」

12.9

孟子曰：「今之事君者皆曰：『我能為君辟土地，充府庫。』今之所謂良臣，古之所謂民賊也。君不鄉道，不志於仁，而求富之，是富桀也。『我能為君約與國，戰必克。』今之所謂良臣，古之所謂民賊也。君不鄉道，不志於仁，而求為之強戰，是輔桀也。由今之道，無變今之俗，雖與之天下，不能一朝居也。」

譯文

孟子說：「如今侍奉君主的人都說：『我能為您開闢土地，充實府庫。』如今所謂的好大臣，就是古代所說的禍害百姓的人。君主不嚮往道德，不用心於仁，卻想讓他富足，這是使夏桀富足。『我能替您邀集盟國，作戰一定會取勝。』如今所謂的好大臣，就是古代所說的殘害百姓的人。君主不嚮往道德，不用心於仁，卻要替他盡力作戰，這等於在輔佐夏桀。沿着今天的道路走下去，不改變今天的習俗，即使把天下交給他，他也是一天都坐不穩的。」

白圭曰：「吾欲二十而取一，何如？」

孟子曰：「子之道，貉（mò）道也。萬室之國，一人陶，則可乎？」

曰：「不可，器不足用也。」

曰：「夫貉，五穀不生，惟黍生之。無城郭、宮室、宗廟、祭祀之禮，無諸侯幣帛饔飧（yōng sūn）[1]，無百官有司，故二十取一而足也。今居中國，去人倫，無君子[2]，如之何其可也？陶以寡，且不可以為國，況無君子乎？欲輕之於堯、舜之道者，大貉小貉也；欲重之於堯、舜之道者，大桀小桀也。」

注釋

1 饔飧：熟食。饔，早餐；飧，晚餐。文中指用飲食款待客人的禮節。2 君子：據朱熹《集注》，此指各種官吏。

譯文

白圭說：「我想把稅率定為二十抽一，怎麼樣？」

孟子說：「你的辦法是貉國施行的方法。假如一個國家有上萬戶人家，只有一個人製作陶器，那能行嗎？」

回答說：「不行，陶器不夠用。」

孟子說：「貉這個國家，各種穀物都不生長，只產黃米；沒有城牆、房屋、祖廟、祭祀的禮儀，沒有國家間的交往，互贈禮物和宴享，沒有各種官吏，因此二十抽一就足夠了。如今在中原國家，摒棄人倫，不要官吏，怎麼能行呢？做陶器的太少，尚且不能夠治理好國家，何況沒有官吏呢？想要比堯、舜的稅率還輕的，是大貉、小貉；想要比堯、舜的稅率還重的，是大桀、小桀。」

白圭曰：「丹之治水也愈於禹。」

孟子曰：「子過矣。禹之治水，水之道也，是故禹以四海為壑。今吾子以鄰國為壑[1]。水逆行謂之洚水。洚水者，洪水也——仁人之所惡也。吾子過矣。」

注釋

1 壑：本指溝壑。文中指承受水患的地方。

譯文

白圭說：「我治理水患比大禹強。」

孟子說：「你錯了。夏禹治理水患，是順應水的本性而行，因此夏禹是使水流入四海。如今你治理水患是使水流到鄰國那去。水逆流行進叫做洚水。洚水，就是洪水——這是仁人最厭惡的。你錯了。」

12.12

孟子曰：「君子不亮[1]，惡乎執？」

注釋　1 亮：通「諒」，誠信。

譯文　孟子說：「君子不講信用的話，怎麼能有操守呢？」

12.13

魯欲使樂正子為政。孟子曰：「吾聞之，喜而不寐。」

公孫丑曰：「樂正子強乎？」

曰：「否。」

「有知慮乎？」

曰：「否。」

「多聞識乎？」

曰：「否。」

「然則奚為喜而不寐？」

曰：「其為人也好善。」

「好善足乎？」

曰：「好善優於天下[1]，而況魯國乎？夫苟好善，則四海之內皆將輕千里而來告之以善[2]。夫苟不好善，則人將曰：『訑（yí）訑[3]，予既已知之矣。』訑訑之聲音顏色距人於千里之外。士止於千里之外，則讒諂面諛之人至矣。與讒諂面諛之人居，國欲治，可得乎？」

注釋

1 優：豐，多，充裕。2 輕：以……為輕，把……看得容易。3 訑訑：傲慢自滿的樣子。

譯文

魯國將要讓樂正子執政。孟子說：「我聽說這件事，高興得睡不着覺。」

公孫丑說：「樂正子剛強嗎？」

孟子回答說：「不。」

「那他有智慧和謀略嗎？」

孟子回答說：「沒有。」

「他見識很多嗎？」

孟子回答說：「不多。」

「既然這樣，那您為甚麼高興得睡不着呀？」

孟子回答說：「他這個人的為人喜歡吸納善言。」

「喜歡吸納善言就夠了嗎？」

孟子回答說：「喜歡吸納善言，治理天下都會綽綽有餘，何況是治理魯國呢？一旦執政者喜歡吸納善言，那麼全天下的人都會不遠千里地來把善言告訴他；一旦執政者不喜歡吸納善言，人們就會學着他的樣子說：『嗯、嗯，我都已經知道了。』嗯嗯的聲音臉色就能把人拒絕在千里之外。士人在千里以外止步，那麼喜歡進讒言和當面阿諛奉承的人就會到來。同喜歡進讒言和當面阿諛奉承的人在一起相處，想要把國家治理好，辦得到嗎？」

12.14

陳子曰：「古之君子何如則仕？」

孟子曰：「所就三，所去三。迎之致敬以有禮；言，將行其言也，則就之。禮貌未衰，言弗行也，則去之。其次，雖未行其言也，迎之致敬以有禮，則就之。禮貌衰，則去之。其下，朝不食，夕不食，飢餓不能出門戶，君聞之，曰：『吾大者不能行其道，又不能從其言也。使飢餓於我土地，吾恥之。』周之，亦可受也，免死而已矣。」

譯文

陳子問：「古代的君子要怎樣才去做官？」

孟子說：「前去就職的情況有三種，自動離職的情況有三種。畢恭畢敬地以禮相迎；對他所說的話，打算去施行，便去就職；禮貌雖然沒有衰減，但他所說的話，不能夠得以施行，便離開。其次，雖然沒有將他的言論付諸實踐，但畢恭畢敬地以禮相迎，那麼便就職；禮貌衰減，就離開。最次，從早到晚都吃不上飯，餓得走不出屋門，君主知道了，說：『我從大的方面說不能推行他的主張，又不能聽從他的進言，使他在我的國土上餓肚子，我為此感到羞恥。』於是賑濟他，若能這樣，也可以接受，只為免於一死罷了。」

12.15

孟子曰：「舜發於畎（quǎn）畝之中，傅說（yuè）舉於版築之間，膠鬲舉於魚鹽之中，管夷吾舉於士，孫叔敖舉於海，百里奚舉於市。故天將降大任於是人也，必先苦其心志，勞其筋骨，餓其體膚，空乏其身，行拂亂其所為[1]，所以動心忍性，曾益其所不能[2]。人恆過，然後能改。困於心，衡於慮，而後作。徵於色，發於聲，而後喻。入則無法家拂（bì）士[3]，出則無敵國外患者，國恆亡。然後知生於憂患而死於安樂也。」

注釋 1 拂：逆，違背。2 曾：通「增」。3 拂士：能夠直諫矯正君主過失的人。拂，通「弼」。

譯文 孟子說：「舜興起於田野之中，傅說從築牆的工作中得到選用，膠鬲從魚鹽的工作中得到選用，管仲從獄官手裏獲釋而得到選用，孫叔敖從海邊被選用，百里奚從市場當中被選用。因此說，天打算把重要任務落實到某個人身上時，一定會先使他的心意苦惱，使他的筋骨勞累，使他的腸胃飢餓，使他的身子窮困，使他的所作所為都受到干擾而不能如意，用這種方式去觸動他的心靈，堅韌他的性格，增加他的才能。人經常犯錯誤，然後才能改正；心中困苦，思慮阻塞，然後才能有所奮發；體現在神情上，生發在言語中，然後才能被人明白。在國內沒有遵守法度的大臣和足以輔弼的士人，國外沒有與之抗衡的國家和外在的憂患，國家經常會滅亡。這樣以後才知道憂慮禍患可以使人生存，安逸享樂會致人死亡。」

賞析與點評

一個人在不順心、不如意時，如能體會到「生於憂患，死於安樂」的道理，也許離成功也就不遠了。

孟子曰：「教亦多術矣，予不屑之教誨也者，是亦教誨之而已矣。」

譯文 孟子說：「教育的方式也有很多，我不屑去教誨他，這也是教誨的一種方式呢。」

卷十三 盡心上

本篇導讀——

共四十六章。內容涉及自身修養、仁政的實行、民本思想、君子之道等多個方面。其中，前三章主要論及自身修養與「立命」的關係，提出「盡心」、「知性」、「知天」的思想，充分肯定自身修養的重要性。認為仁、義、禮、智是人自身所固有的，「求則得之」。第四至第七章進一步論述加強自身修養的重要性，以及羞恥感在道德修養中所起的作用。第八至第十一章主要論及士人的品格，指出士人應以行道為己任，應超出常人，不為富貴、地位所誘惑。第十二至十四章主要論及統治者應如何實行仁政。其間，力主王道，肯定聖人的教化作用，以及「善教」在社會生活中的作用。第十五至第二十一章主要論及實行仁義的現實可能性及方法，指出「仁」、「義」是與生俱來的良知、良能，人們只要不斷提高修養，就能擁有它。第二十二至二十五章主要論及聖人之道，敍述它所涵蓋的內容、指出聖人與常人的不同以及追求聖人之道的方式。第二十六至第三十六章進一步論及修身問題。第四十至四十六章論及君子之道、處事之道等。

‖13.1

孟子曰：「盡其心者，知其性也。知其性，則知天矣。存其心，養其性，所以事天也。殀（yǎo）壽不貳，修身以俟之，所以立命也。」

譯文

孟子說：「充分發揮人的善良的本心，就是知曉了人的本性。知曉人的本性，就知曉天命了。保持人的本心，養護人的本性，這是侍奉上天的辦法。無論壽命長短，都不三心二意，修養自身，等待天命，這就是用以安身立命的方法。」

‖13.2

孟子曰：「莫非命也，順受其正。是故知命者不立乎岩牆之下。盡其道而死者，正命也；桎梏死者[1]，非正命也。」

注釋

1 桎梏：古代束縛犯人的刑具。這裏比喻因犯法而被處死。

譯文

孟子說：「沒有甚麼不是命運決定的，但順應規律去行事，就會得到正常的命運；因此，知曉天命的人不站在有倒塌危險的牆壁下。盡力行道而死的人，所受的是正常的命運；犯法而被處死的人，不是正常的命運。」

13.3

孟子曰：「求則得之，舍則失之，是求有益於得也，求在我者也。求之有道，得之有命，是求無益於得也，求在外者也。」

譯文

孟子說：「有些東西尋求就能得到，不尋求就會失去，這是有益於收穫的尋求，因為所尋求的存在於我自身。尋求有一定的方法，能否得到卻取決於命運，這是無益於收穫的尋求，因為所尋求的存在於我自身以外。」

13.4

孟子曰：「萬物皆備於我矣。反身而誠，樂莫大焉。強恕而行，求仁莫近焉。」

譯文

孟子說：「一切我都具備了。反省自身發現自己是誠實的，這是最大的快樂。勉勵自己依從推己及人的恕道行事，這是最近的求仁之路了。」

13.5

孟子曰：「行之而不著焉，習矣而不察焉，終身由之而不知其道者，眾也。」

譯文　孟子說：「做了卻不知道為甚麼要做，習以為常卻不知其所以然。終生都順着這條道走，卻不知道這是條甚麼道，這種人是普通人。」

13.6

孟子曰：「人不可以無恥，無恥之恥，無恥矣。」

譯文　孟子說：「人不可以沒有羞恥，不知羞恥的羞恥，是真正的羞恥啊。」

13.7

孟子曰：「恥之於人大矣。為機變之巧者，無所用恥焉。不恥不若人，何若人有？」

譯文

孟子說：「羞恥對於人來說是很重要的，行巧詐之事的人沒有地方用得着羞恥。不把趕不上人看作羞恥，怎麼能趕上別人呢？」

賞析與點評

《中庸》講：「知恥近乎勇。」及早知恥，化羞恥為力量，勇於改過，亡羊補牢，未為晚矣。

13.8

孟子曰：「古之賢王好善而忘勢。古之賢士何獨不然？樂其道而忘人之勢，故王公不致敬盡禮，則不得亟見之。見且由不得亟，而況得而臣之乎？」

譯文

孟子說：「古代的賢明君主喜歡良善而忘了自身的權勢；古代的賢明士人何嘗不是如此？喜歡行道而忘了別人的權勢，因此王公貴族不對他恭敬盡禮，就不能夠多次見到他。會面的次數尚且不很多，何況要把他當臣下呢？」

13.9

孟子謂宋勾踐曰：「子好遊乎？吾語子遊。人知之，亦囂囂[1]；人不知，亦

囂囂。」

曰：「何如斯可以囂囂矣？」

曰：「尊德樂義，則可以囂囂矣。故士窮不失義，達不離道。窮不失義，故士得己焉[2]；達不離道，故民不失望焉。古之人，得志，澤加於民；不得志，修身見於世。窮則獨善其身，達則兼善天下。」

注釋

1 囂囂：自得無慾的樣子。2 得己：自得。

譯文

孟子對宋勾踐説：「你喜歡遊説君主嗎？我和你説説遊説的事。別人了解你的用意，你要自得其樂；別人不了解你的用意，你也要自得其樂。」

宋勾踐問道：「怎麼做才能夠自得其樂呢？」

孟子回答説：「尊崇德，喜歡義，就能夠自得其樂了。因此，士人困窘時，不會失去義；得意時，不會背離道。困窘時不失去義，得意時不背離道，因此百姓不會對他感到失望。古時的人，得志時施恩澤於百姓；不得志時，修養自身顯現於世間。困窘時便獨善其身；得志時便兼善天下。」

賞析與點評

這裏表現出一種儒家的理性主義精神：得志時造福於天下百姓，不得志時也要潔身自好，「窮不失義」，仍要「修身見於世」。

13.10

孟子曰：「待文王而後興者，凡民也。若夫豪傑之士，雖無文王猶興。」

譯文

孟子說：「等待周文王那樣的賢王出來才奮發的，是普通的百姓。至於那些傑出的人才，即使沒有周文王，也能夠奮發。」

13.11

孟子曰：「附之以韓、魏之家，如其自視欿（kǎn）然，則過人遠矣。」

譯文

孟子說：「拿春秋時晉國韓、魏兩大家臣的財富來增強他，如果他不因此而自滿，那麼這種人就大大超出常人。」

13.12

孟子曰：「以佚道使民，雖勞不怨。以生道殺民，雖死不怨殺者。」

譯文　孟子說：「本着讓百姓安逸的原則去役使百姓，百姓雖然勞苦，但不會怨恨；本着讓百姓生存的原則去殺人，被殺的人雖死，但不會怨恨殺他的人。」

13.13

孟子曰：「霸者之民驩虞如也[1]，王者之民皞（hào）皞如也[2]。殺之而不怨，利之而不庸[3]，民日遷善而不知為之者。夫君子所過者化[4]，所存者神，上下與天地同流，豈曰小補之哉？」

注釋　1 驩虞：即「歡娛」。2 皞皞：廣大自得的樣子。3 庸：酬功。4 君子：依朱熹《四書集注》，此處的君子指聖人而言。

譯文　孟子說：「霸主的功業顯著，百姓很快樂，聖王的功德浩蕩，百姓怡然自得。他們即使被殺，也不會怨恨誰；得到恩惠，也不會酬謝誰，百姓一天天向善，卻不知是誰使他們這樣的。聖人所經過的地方，百姓會受到感化；聖人停留之處，會產生神奇的效果，在上與天，在下與地共同運轉，難道只是小小的補益嗎？」

13.14

孟子曰：「仁言不如仁聲之入人深也，善政不如善教之得民也。善政，民畏之；善教，民愛之。善政得民財，善教得民心。」

譯文

孟子說：「仁德的言語趕不上仁德的音樂深入人心，良好的政治趕不上良好的教化深入民心。良好的政治，百姓畏懼它；良好的教化，百姓熱愛它。良好的政治可以得到百姓的財富，良好的教化可以得到百姓的心。」

13.15

孟子曰：「人之所不學而能者，其良能也[1]；所不慮而知者，其良知也[2]。孩提之童無不知愛其親者，及其長也，無不知敬其兄也。親親，仁也；敬長，義也；無他，達之天下也。」

注釋

1 良能：所最擅長的。2 良知：所最知道的。

譯文

孟子說：「人不用學習就能做到的，那是良能；不用思考就能知道的，那是良知。兩三歲的小孩沒有不知道愛他父母的，等到他長大以後，沒有不知道尊敬兄長的。親愛父母就是仁；尊敬兄長就是義；這沒有別的原因，這是由於仁義可以通行天下。」

13.16

孟子曰：「舜之居深山之中，與木石居，與鹿豕遊。其所以異於深山之野人者幾希。及其聞一善言，見一善行，若決江河，沛然莫之能禦也。」

譯文　孟子說：「舜居住在深山的時候，和樹木、石頭共處，和鹿、豬打交道，他和深山裏的普通人不同的地方很少；等到他聽到一句善良的言語，見到一次善良的行為，便受到觸動，像打開缺口的江河，氣勢充沛，沒有誰能阻擋得了。」

13.17

孟子曰：「無為其所不為，無欲其所不欲，如此而已矣。」

譯文　孟子說：「不要做自己不想做的事，不要希望得到自己不想得到的東西，這樣就可以了。」

13.18

孟子曰：「人之有德慧術知者，恆存乎疢（chèn）疾。獨孤臣孽子，其操心也危[1]，其慮患也深，故達。」

譯文　孟子說：「人之所以能夠擁有德行、智慧、技藝、知識，常常是由於災患的緣故。只有那些孤立無援的大臣、地位卑賤的庶子，他們操心勞神總是不得安寧，憂慮災患更深，所以通達事理。」

注釋　1 危：不安。

13.19

孟子曰：「有事君人者，事是君則為容悅者也。有安社稷臣者，以安社稷為悅者也。有天民者，達可行於天下而後行之者也。有大人者，正己而物正者也。」

譯文　孟子說：「有侍奉君主的人，把侍奉某個君主當作快樂；有安定國家的臣子，把安定國家當作快樂；有天民，就是那些先使大道通行於天下，然後再去實行的人；有大人，就是那些使自身端正，外物便隨之端正的人。」

13.20

孟子曰：「君子有三樂，而王天下不與存焉。父母俱存，兄弟無故[1]，一樂也；仰不愧於天，俯不怍（zuò）於人，二樂也；得天下英才而教育之，三樂也。君子有三樂，而王天下不與存焉。」

注釋

1 故：變故，如災難、禍患、死亡、疾病等。

譯文

孟子說：「君子有三種樂事，但以德服天下並不在其中。父母都健在，兄弟沒有災禍，這是第一件樂事；抬頭無愧於天，低頭無愧於人，這是第二件樂事；得到天下的優秀人才而去教育他們，這是第三件樂事。君子有這三件樂事，而以德服天下並不在其中。」

賞析與點評

儒家言樂，與權力、財富等外在事物無關，乃德性、精神及五倫之樂，樂在「事君、奉親、教子、交友」等日常行為之中，更樂在心靈生活的充實與精神境界的崇高。

13.21

孟子曰：「廣土眾民，君子欲之，所樂不存焉。中天下而立，定四海之民，君子樂之，所性不存焉。君子所性，雖大行不加焉，雖窮居不損焉，分定故也。君子所性，仁義禮智根於心，其生色也睟（suì）然[1]，見於面，盎於背[2]，施於四體，四體不言而喻。」

注釋

1 睟然：潤澤的樣子。2 盎：顯現。

譯文

孟子說：「擁有廣大的土地，眾多的人民，是君子所希望得到的，但他們的樂趣並不在此；居於天下的中央，安撫天下的百姓，君子以此為樂，但他們的本性不在於此。君子的本性，即使他的主張通行於天下，也並不因此而增加；即使困窘隱居，也不會因此而減損，因為他的本分已確定。君子的本性，仁義禮智已根植於內心，生發出來的神色是溫潤和順的，流露在臉上，充盈在肩背，推及到肢體，肢體的動作，不必言說，就能使人明了。」

13.22

孟子曰：「伯夷辟紂，居北海之濱，聞文王作，興曰：『盍歸乎來？吾聞西伯善養老者[1]。』太公辟紂，居東海之濱，聞文王作，興曰：『盍歸乎來？吾聞西伯善養老者。』天下有善養老，則仁人以為己歸矣。五畝之宅，樹牆下以桑，匹婦蠶之，則老者足以衣帛矣。五母雞，二母彘，無失其時，老者足以無失肉矣。百畝之田，匹夫耕之，八口之家足以無飢矣。所謂西伯善養老者，制其田里，教之樹畜，導其妻子使養其老。五十非帛不暖，七十非肉不飽。不暖不飽，謂之凍餒。文王之民無凍餒之老者，此之謂也。」

注釋

1 西伯：即周文王。

譯文

孟子說：「伯夷躲避商紂王，居住在北海邊上，聽說周文王興起，說：『何不歸附西伯呢？我聽說他善於奉養老人。』太公躲避商紂王，住在東海邊上，聽說周文王興起，說：『何不歸附西伯呢？我聽說他善於奉養老人。』天下有善於奉養老人的，仁人便把他作為自己的歸宿。五畝的住宅，在牆下種上桑樹，婦女靠它養蠶，老年人就能穿上絲綿做成的衣服了。五隻母雞，兩頭母豬，不錯過繁殖期，老年人就能吃上肉了。百畝農田，男人去耕種，八口人的家庭就能吃飽了。所說的西伯善於奉養老人，就是指他制定了土地制度，教育百姓種植桑田，畜養牲畜，引導百姓的妻子兒女奉養老人。五十歲的人，沒有絲綿穿就不覺得暖和；七十歲的人，沒有肉吃就不覺得飽。穿不暖，吃不飽，就叫受凍受餓。周文王的百姓沒有受凍受餓的老人，說的就是這個意思。」

‖13.23

孟子曰：「易其田疇，薄其稅斂，民可使富也。食之以時，用之以禮，財不可勝用也。民非水火不生活，昏暮叩人之門戶求水火，無弗與者，至足矣。聖人治天下，使有菽粟如水火。菽粟如水火，而民焉有不仁者乎？」

譯文

孟子說：「治理好田地，減輕稅收，就可以使百姓富裕。按照時令安排飲食，按照禮的規定去消費，財物就會用之不竭。百姓沒有水和火便無法生存，黃昏夜晚敲開別人家的門要水、火，沒有不給的，因為水、火極其充足。聖人治理天下，應使糧食如同水、火那樣多。糧食如果像水、火那樣充足，百姓哪裏會不講仁愛呢？」

‖13.24

孟子曰：「孔子登東山而小魯，登泰山而小天下，故觀於海者難為水，遊於聖人之門者難為言。觀水有術，必觀其瀾。日月有明，容光必照焉。流水之為物也，不盈科不行[1]；君子之志於道也，不成章不達[2]。」

注釋

1 科：坎，坑。2 成章：古稱樂曲終結為一章。此指事物達到一定階段或程度。

譯文

孟子說：「孔子登上東山，就覺得魯國變小了；登上了泰山，就覺得天下變小了。因此見過大海的人，難以對別的水感興趣；在聖人門下遊學的人，難以對別的言論感興趣。觀賞水有方法，一定要觀賞它的波瀾。太陽月亮都有光輝，極小的縫隙都能照得到。流水這種東西，不把小的坑窪灌滿，就不會繼續向前流動。君子有志於追求大道，不達到一定的程度不能通達。」

13.25

孟子曰：「雞鳴而起，孳孳為善者，舜之徒也；雞鳴而起，孳孳為利者，蹠之徒也。欲知舜與蹠之分，無他，利與善之間也。」

譯文

孟子說：「雞一叫就起來，孜孜不倦地做善事的，是舜一類的人；雞一叫就起來，努力追求利益的，是蹠一類的人。想要知道舜和蹠的分別，沒有別的，只是求利和求善的不同罷了。」

13.26

孟子曰：「楊子取為我，拔一毛而利天下，不為也。墨子兼愛，摩頂放踵利天

下，為之。子莫執中。執中為近之。執中無權，猶執一也。所惡執一者，為其賊道也，舉一而廢百也。」

譯文

孟子說：「楊朱主張一切為自己，如果拔下一根汗毛能夠有利於天下，他都不肯做。墨子主張兼愛，就是磨光頭頂，走破腳跟，只要對天下人有利，他就去做。子莫主張中道而行。主張中道便差不多了。但是堅持中道缺乏變通，就是執着於一點。厭惡執着於一點的人，是因為它損害大道，抓住一點就不管其他了。」

13.27

孟子曰：「飢者甘食，渴者甘飲，是未得飲食之正也，飢渴害之也。豈惟口腹有飢渴之害？人心亦皆有害。人能無以飢渴之害為心害，則不及人不為憂矣。」

譯文

孟子說：「飢餓的人覺得任何食物都好吃，乾渴的人覺得任何飲料都甘美，他不知道飲料、食物的正常味道，是因為受了飢渴的損害。難道只有嘴巴肚皮受到飢渴的損害嗎？人心也都有這類傷害。假如一個人能夠不把飢渴類的損害變成對心的損害，那自然不會把趕不上別人當作憂慮了。」

13.28

孟子曰：「柳下惠不以三公易其介。」

譯文　孟子說：「柳下惠不因為做高官而改變他的操守。」

13.29

孟子曰：「有為者辟若掘井，掘井九軔而不及泉，猶為棄井也。」

譯文　孟子說：「做事情好比挖井，挖得很深還見不到泉水，仍是一口廢井。」

13.30

孟子曰：「堯、舜，性之也；湯、武，身之也；五霸，假之也。久假而不歸，惡知其非有也。」

譯文　孟子說：「堯、舜施行仁義，是本性使然；湯、武施行仁義，是身體力行；五霸施行仁義，是假借名義。然而，長時間假借不還，怎麼能知道他不是真的擁有了仁義呢？」

13.31

公孫丑曰：「伊尹曰：『予不狎（xiá）於不順，放太甲於桐，民大悅。太甲賢，又反之，民大悅。』賢者之為人臣也，其君不賢，則固可放與？」

孟子曰：「有伊尹之志則可，無伊尹之志則篡也。」

譯文

公孫丑說：「伊尹說：『我不親近違背禮義道德的人，因而把太甲放逐到桐邑，百姓十分高興。太甲變賢明了，又讓他返回來做君主，百姓十分高興。』賢人做臣子，如果他的君主不賢德，本來就可以放逐的嗎？」

孟子說：「如果有伊尹那樣的心志便可；沒有伊尹那樣的心志，就是篡位了。」

13.32

公孫丑曰：「《詩》曰：『不素餐兮。』君子之不耕而食，何也？」

孟子曰：「君子居是國也，其君用之，則安富尊榮；其子弟從之，則孝悌忠信。『不素餐兮』，孰大於是？」

譯文

公孫丑說：「《詩經》說：『不白吃飯啊。』君子不耕種卻可得食，這是為甚麼？」

孟子說：「君子居住在一個國家，國君任用他，這個國家便會安寧、富足、尊貴、榮耀；少年子弟追隨他，便會孝順父母、敬愛兄長，忠實守信。『不白吃飯啊』，還有比這更大的貢獻嗎？」

13.33

王子墊問曰：「士何事？」

孟子曰：「尚志。」

曰：「何謂尚志？」

曰：「仁義而已矣。殺一無罪，非仁也。非其有而取之，非義也。居惡在？仁是也。路惡在？義是也。居仁由義，大人之事備矣。」

譯文

王子墊問道：「士該做甚麼？」

孟子說：「士要使自己的志向高尚。」

王子墊問：「使志向高尚是甚麼意思？」

孟子說：「行仁義就是了。殺死一個無罪的人就是不仁；不是自己的東西卻強行拿來就是不義。居所在哪裏？仁就是；道路在哪裏？義就是。居住於仁，行走由義，大人所做的事就齊備了。」

13.34

孟子曰：「仲子，不義與之齊國而弗受，人皆信之，是舍簞食豆羹之義也。人莫大焉亡親戚君臣上下[1]。以其小者信其大者，奚可哉？」

注釋　1 亡：無。

譯文　孟子說：「陳仲子，假如不合道義地把齊國交給他，他是不會接受的，別人都相信他這點。但這只是捨棄一筐飯、一碗湯的義。人的罪過沒有比不講父兄君臣尊卑關係更大的了。因為他在小事上的節義，而去相信他在大事上的節義，怎麼行呢？」

13.35

桃應問曰：「舜為天子，皋陶為士，瞽瞍殺人[1]，則如之何？」

孟子曰：「執之而已矣。」

「然則舜不禁與？」

曰：「夫舜惡得而禁之？夫有所受之也。」

「然則舜如之何？」

曰：「舜視棄天下猶棄敝蹝（xǐ）也。竊負而逃，遵海濱而處，終身訢然[2]，樂而忘天下。」

注釋 1 瞽瞍：此指舜的父親。2 訢：同「欣」。

譯文 桃應問道：「舜做天子，皋陶當法官，如果瞽瞍殺了人，該怎麼辦？」

孟子說：「把他抓起來就是了。」

「那麼舜不去制止嗎？」

孟子回答說：「舜怎麼能去制止呢？皋陶抓人是有依據的。」

「那麼舜該怎麼辦？」

孟子回答說：「舜把拋棄天子的位置看得如同丟棄破鞋。他會偷偷地背上父親逃跑，沿着海邊住下來，一生都高高興興的，快樂得忘掉了天下。」

13.36

孟子自范之齊，望見齊王之子，喟然歎曰：「居移氣，養移體，大哉居乎！夫非盡人之子與？」

孟子曰：「王子宮室、車馬、衣服多與人同，而王子若彼者，其居使之然也。況居天下之廣居者乎[1]？魯君之宋，呼於垤（dié）澤之門[2]。守者曰：『此非吾君也，何其聲之似我君也？』此無他，居相似也。」

注釋

1 廣居：指「仁」。2 垤澤之門：宋國都城東南門。

譯文

孟子從范邑到齊國都城，遠遠地看見齊王的兒子，長歎一聲說：「居處環境改變氣質，所得奉養改變體質，居處環境真是太重要了。他不同樣都是人的兒子嗎，為甚麼顯得那麼特別？」

孟子說：「王子的住所、車馬和衣服大多和別人相同，而王子卻那樣與眾不同，就是因為他所居住的環境使他這樣的。何況居住在『仁』這個天下最寬廣住所中的人呢？魯國的國君到宋國去，在宋國的東南城門下喊話。守城人說：『這個人不是我們的國君，為甚麼他的聲音和我們國君這樣相似呢？』這沒有別的原因，是由於居處環境相似罷了。」

13.37

孟子曰：「食而弗愛，豕交之也；愛而不敬，獸畜之也。恭敬者，幣之未將者也[1]。恭敬而無實，君子不可虛拘。」

注釋　1幣：古代以束帛為祭祀或餽贈的禮物，叫做「幣」。後來稱其他聘享的禮物，如車、馬、玉等也叫「幣」。將：送。

譯文　孟子說：「只給吃的而不愛護，等於在養豬；愛護卻不敬重，等於在畜養牲畜。恭敬之心，應該是在送出禮物之前就有的。只有表面的恭敬，而並非實心實意，君子便不可以被虛假的禮節所束縛。」

‖13.38

孟子曰：「形、色，天性也。惟聖人然後可以踐形[1]。」

注釋　1踐形：體現上天賦予人的品質。

譯文　孟子說：「人的身體容貌是與生俱來的；只有聖人才能夠通過修養而無愧於這一天賦。」

‖13.39

齊宣王欲短喪。公孫丑曰：「為朞（jī）之喪[1]，猶愈於已乎？」

孟子曰：「是猶或紾其兄之臂，子謂之姑徐徐云爾，亦教之孝悌而已矣。」王

子有其母死者，其傅為之請數月之喪[2]。公孫丑曰：「若此者何如也？」

曰：「是欲終之而不可得也。雖加一日愈於已，謂夫莫之禁而弗為者也。」

注釋

1 朞：喪服制度，期服的簡稱，同「期」。2「王子有其母」兩句：按照古代喪禮規定，王子母親死後，因父親尚在，不能為母服三年喪，甚至無服。母親下葬前，只穿麻衣，下葬後脫掉。

譯文

齊宣王想要縮短服喪時間。公孫丑說：「父母去世的話，服一年喪，不是比不服喪好嗎？」

孟子說：「這就像有人扭他哥哥的胳膊，你對他說姑且慢慢地擰，這不是個辦法，只是教導他孝敬父母兄長罷了。」

有個死了生母的王子，他的師傅替他請求守幾個月的喪。公孫丑說：「像這種情況該怎麼辦？」

孟子說：「這個王子是想服完三年喪卻無法做到。即使多服一天也比不服好，是對那些沒人禁止他，而自己不願服喪的人說的。」

‖13.40

孟子曰：「君子之所以教者五：有如時雨化之者，有成德者，有達財者，有答問者，有私淑艾（yì）者[1]。此五者，君子之所以教也。」

注釋　1 私淑艾：私下拾取。文中指私下裏學習。淑，通「叔」，拾取，獲益。艾，通「刈」，收穫。

譯文　孟子說：「君子實施教化的方式有五種：有像及時雨一樣滋潤萬物的，有幫助成就德行的，有培養才能的，有解答疑問的，有憑藉學養而使人私下受到教誨的。這五種就是君子所用來施行教化的方法。」

‖13.41

公孫丑曰：「道則高矣，美矣，宜若登天然，似不可及也。何不使彼為可幾及而日孳孳也？」

孟子曰：「大匠不為拙工改廢繩墨，羿不為拙射變其彀率[1]。君子引而不發，躍如也。中道而立，能者從之。」

注釋　1 彀率：弓弩張開的程度。

譯文

公孫丑說：「道的確是很高、很美，就像登天一樣，似乎是不可企及的；為何不讓道變成能夠有希望達到的東西，從而讓人們每天都努力追求呢？」

孟子說：「高明的木匠不會為手藝拙劣的木工改變或廢棄規矩，羿不會為技藝拙劣的射手而改變他拉弓的標準。君子教導別人正如射手拉滿弓，但卻不把箭射出去，做出躍躍欲試的樣子。他站在正確的道路上，有才能的人就會追隨他。」

13.42

孟子曰：「天下有道，以道殉身；天下無道，以身殉道。未聞以道殉乎人者也。」

譯文

孟子說：「天下政治清明，就終身行道；天下統治黑暗，就為道獻身；還沒聽說過犧牲道來迎合人的。」

13.43

公都子曰：「滕更之在門也，若在所禮，而不答，何也？」

孟子曰：「挾貴而問，挾賢而問，挾長而問，挾有勳勞而問，挾故而問，皆所

不答也。滕更有二焉。」

譯文

公都子說：「滕更（滕國君主的弟弟）在您的門下時，似乎應屬於您以禮相待的人，可您卻不解答他的問題，這是為甚麼呢？」

孟子說：「依仗自己地位高貴來發問，依仗自己賢能來發問，依仗自己年紀大來發問，依仗自己有功勞來發問，依仗自己有老交情來發問，都屬於我不回答的範疇。滕更佔了其中的兩條。」

13.44

孟子曰：「於不可已而已者，無所不已。於所厚者薄，無所不薄也。其進銳者，其退速。」

譯文

孟子說：「對於不該停止的事卻停止了，那麼就沒甚麼不可以停止的了。對於本應厚待的人而薄待，那麼沒有誰不可薄待了。前進得太猛的人，後退得也就快。」

‖13.45

孟子曰：「君子之於物也，愛之而弗仁；於民也，仁之而弗親。親親而仁民，仁民而愛物。」

譯文 孟子說：「君子對於萬物，愛護它，但不必以仁德之心對它；對於百姓，施仁給他而不必親愛他。君子熱愛親人，進而施仁德於百姓；施仁德於百姓，進而愛惜萬物。」

‖13.46

孟子曰：「知者無不知也，當務之為急；仁者無不愛也，急親賢之為務。堯、舜之知而不遍物，急先務也；堯、舜之仁不遍愛人，急親賢也。不能三年之喪，而緦（sī）、小功之察[1]；放飯流歠（chuò），而問無齒決[2]，是之謂不知務。」

注釋 1 緦：麻布之細疏者。文中指緦麻，是喪服五服中最輕的一種，也稱「緦衰」，服期為三個月。小功：古代喪服名。五服之一，用較粗的熟布製成，服期為五個月。2 齒決：用牙齒啃斷東西。

譯文 孟子說：「智者沒有甚麼不想知道的，但急於知道當前該做的緊要事情；仁者沒有甚麼不愛惜的，但急於先愛親人和賢人。堯、舜的智慧不能遍知所有的事物，是因為他急於去做眼前的大事；堯、舜的仁德不能遍愛所有的人，是因為他急於去愛親人和賢人。不能夠施行三年的喪禮，卻仔細地講求緦麻三月、小功五月的喪禮；在尊長面前進餐，大口吃飯，大口喝湯，卻講求不用牙齒咬斷乾肉，這就叫不識大體。」

卷十四 盡心下

本篇導讀——

共三十八章。前四章主要闡述「仁者無敵」的思想，譴責春秋時期的不義之戰，批判窮兵黷武的不仁行為。第七、八章主要是議論時弊，抨擊當時流行的復仇之風，抨擊諸侯設關卡擾民等不良的社會現象。第十二至十六章以及第二十七、二十八章主要論及為政之道，呼籲統治者實行仁政，並明確提出「民貴君輕」的民本思想。第二十五章主要論及個人道德人格的完善層次，以道德程度的高低將人分為六類。第二十九至三十五章主要論及君子修身之道，指出君子應以大道為立身之本，嚴於律己，減少慾望，確保修養目的的純正性。

14.1

孟子曰：「不仁哉梁惠王也！仁者以其所愛及其所不愛，不仁者以其所不愛及其所愛。」

公孫丑問曰：「何謂也？」

「梁惠王以土地之故，糜爛其民而戰之，大敗。將復之，恐不能勝，故驅其所愛子弟以殉之，是之謂以其所不愛及其所愛也。」

譯文

孟子說：「梁惠王實在是不仁德啊！仁人把施與他所愛人的仁德推及到他所不愛的人身上；不仁者把加給他所不愛的人的禍害推及到他所愛人的身上。」

公孫丑說：「這話是甚麼意思？」

「梁惠王因為土地的緣故，不惜犧牲百姓的血肉之軀去作戰，被打得大敗後，還準備再戰，唯恐不能戰勝敵人，因此又驅使他所喜愛的子弟去作戰送死，這就是把加給不愛的人的禍害推及到所愛人的身上。」

14.2

孟子曰：「春秋無義戰。彼善於此，則有之矣。征者，上伐下也，敵國不相征也。」

譯文

孟子說：「春秋時代沒有正義的戰爭。那一方比這一方好點，那是有的。『征』的意思是上級討伐下級，同等級別的國家是不互相征討的。」

14.3

孟子曰：「盡信《書》，則不如無《書》。吾於《武成》[1]，取二三策而已矣[2]。仁人無敵於天下，以至仁伐至不仁，而何其血之流杵也[3]？」

注釋

1《武成》：《尚書》篇名，敘述了周武王伐紂之事。2 策：編成的竹簡。3 杵：舂杵，舂米用的棒槌。一說形狀像杵的兵器。

譯文

孟子說：「完全相信《尚書》，還不如沒有《尚書》。我對於《武成》這一篇，只取其中的兩三頁罷了。仁人天下無敵，憑藉周武王這樣最仁的人去討伐商紂這樣最不仁的人，怎麼會讓鮮血流淌得足以把杵都漂起來呢？」

賞析與點評

「盡信《書》，則不如無《書》。」讀書時應學會分析、辨別，不可迷信。敢疑、善疑，才可能獲得更多更準確的知識。

孟子曰：「有人曰：『我善為陳，我善為戰（zhèn）。』大罪也。國君好仁，天下無敵焉。南面而征，北狄怨；東面而征，西夷怨。曰：『奚為後我？』武王之伐殷也，革車三百兩，虎賁三千人。王曰：『無畏！寧爾也，非敵百姓也。』若崩厥角稽首[1]。征之為言正也，各欲正己也，焉用戰？」

注釋

1 厥角：獸首。這裏是以額觸地。

譯文

孟子說：「有人說：『我善於佈陣，我善於作戰。』這是大罪過。國君喜好仁，就會天下無敵。商湯向南方征討，北方的民族就會埋怨；向東方去征討，西方的民族就會埋怨，說：『為甚麼不先來我們這裏？』周武王討伐殷商的時候，戰車三百輛，勇士三千人。武王對殷商的百姓說：『不要害怕！我是來讓你們得到安寧的，不是和你們為敵的。』殷商的百姓都把額角觸地叩頭，發出的聲響如同山陵崩塌。『征』的意思是『正』，如果各個國家都端正自身，哪裏用得着作戰呢？」

孟子曰：「梓匠輪輿能與人規矩，不能使人巧。」

譯文　孟子說：「木匠和車匠能夠把圓規、曲尺的使用方法傳授給別人，卻不能使人一定技藝高超。」

‖14.6

孟子曰：「舜之飯糗（qiǔ）茹草也，若將終身焉。及其為天子也，被袗（zhěn）衣，鼓琴，二女果，若固有之。」

譯文　孟子說：「當舜啃乾糧吃野菜的時候，好像一生就將這樣度過；等他做了天子後，穿着有紋飾的華貴衣服，彈着琴，堯的兩個女兒服侍着，又好像原本就擁有了這一切。」

‖14.7

孟子曰：「吾今而後知殺人親之重也。殺人之父，人亦殺其父；殺人之兄，人亦殺其兄。然則非自殺之也，一間（jiàn）耳[1]。」

注釋　1 一間：指相距很近。間，隔。

譯文　孟子說：「我從今以後才知道殺死別人親人的嚴重性：殺死別人的父親，別人也會殺死他的父親；殺死別人的哥哥，別人也會殺死他的哥哥。那麼，雖然父親和哥哥不是自己殺死的，但也相差無幾了。」

14.8

孟子曰：「古之為關也，將以禦暴；今之為關也，將以為暴。」

譯文 孟子說：「古時候設立關卡，是打算用來抵禦強暴的；如今設立關卡，卻是打算施行強暴的。」

14.9

孟子曰：「身不行道，不行於妻子；使人不以道，不能行於妻子。」

譯文 孟子說：「本人不踐行大道，大道在妻子、兒女身上都行不通，更不要說對別人了；使喚別人不遵道而行，那麼連妻子、兒女都使喚不了，更不要說使喚別人了。」

14.10

孟子曰：「周於利者凶年不能殺[1]，周於德者邪世不能亂。」

譯文　孟子說：「財富充足的人，荒年不能讓他窘困；德行深厚的人，亂世也不能讓他迷惑。」

注釋　1 周：充足。殺：窘困。一說，此處仍用本義，指餓死。

14.11

孟子曰：「好名之人能讓千乘之國，苟非其人，簞食豆羹見於色。」

譯文　孟子說：「喜好名聲的人能夠讓出擁有千輛兵車國家的君位；如果不是這種人，讓出一筐飯、一碗湯，他都會流露出不悅的神情。」

14.12

孟子曰：「不信仁賢，則國空虛；無禮義，則上下亂；無政事，則財用不足。」

譯文　孟子說：「不信任仁德賢能之人，那麼國家就會空虛；不講禮義，那麼上下級的關係就會混亂；不施行行政管理，那麼國家的財物資源就會貧乏。」

14.13

孟子曰：「不仁而得國者有之矣，不仁而得天下者未之有也。」

譯文

孟子說：「不施行仁德卻能得到一個國家的，有這樣的事；不施行仁德，卻能得到天下，這樣的事不曾有過。」

賞析與點評

民貴君輕是孟子提出的一個重要思想。他告訴當權者，民眾最寶貴，民眾的利益至高無上。一切政治權力與政治制度，從根本上說，都是來之民眾，治於民眾、為了民眾，即 from people,by people,for people。

14.14

孟子曰：「民為貴，社稷次之，君為輕。是故得乎丘民而為天子，得乎天子為諸侯，得乎諸侯為大夫。諸侯危社稷，則變置。犧牲既成[1]，粢盛（zī chéng）既絜[2]，

祭祀以時，然而旱乾水溢，則變置社稷。」

注釋 1 犧牲：供祭祀用的純色牲畜。2 粢盛：盛在祭器中的黍稷等。絜：通「潔」。

譯文 孟子說：「老百姓最重要，土神、穀神次之，君主為輕。因此得到老百姓的擁護，就可以做天子；得到天子的賞識就可以做諸侯；得到諸侯的賞識就可以做大夫。如果諸侯危害國家，那麼就改立諸侯。犧牲已經肥壯，祭品已經潔淨，祭祀也按時進行，然而依舊發生旱災水災，那麼就要改立土神、穀神。」

賞析與點評

在孟子的「民本」思想中，政治的主體已由國君轉到了民眾，這在戰國時期可謂獨樹一幟。

14.15

孟子曰：「聖人，百世之師也，伯夷、柳下惠是也。故聞伯夷之風者，頑夫廉，懦夫有立志。聞柳下惠之風者，薄夫敦，鄙夫寬。奮乎百世之上，百世之下，聞者莫不興起也。非聖人而能若是乎？而況於親炙之者乎？」

譯文

孟子說：「聖人是百代後人的老師，伯夷、柳下惠就是這樣的人。因此聽到伯夷的節操的，貪婪的人也會變得清廉，懦弱的人也會有自立的志向；聽到柳下惠的節操的，鄙陋淺薄的人也會變得敦厚，氣量狹小的人也會變得大度。他們在百代以前奮發，百代以後，聽到他們的事情的人，沒有不為之振作的。不是聖人能像這樣有感召力嗎？更何況曾經親自接受過聖人熏陶的人呢？」

14.16

孟子曰：「仁也者，人也。合而言之，道也。」

譯文

孟子說：「『仁』的意思就是『人』。『仁』和『人』的意思合起來說，就是『道』。」

14.17

孟子曰：「孔子之去魯，曰：『遲遲吾行也』，去父母國之道也。去齊，接淅而行[1]，去他國之道也。」

注釋

1 接淅：接取已淘的米。淅，淘米。

譯文　孟子說：「孔子離開魯國的時候說，『我們慢慢地走吧』，這是離開祖國的態度。離開齊國的時候，把淘完的米撈出來，來不及把它做熟就出發了——這是離開別國的態度。」

14.18

孟子曰：「君子之厄於陳、蔡之間，無上下之交也。」

譯文　孟子說：「孔子被圍困在陳國、蔡國之間，是因為和兩個國家的君臣都沒有交往的緣故。」

14.19

貉（mò）稽曰：「稽大不理於口[1]。」

孟子曰：「無傷也。士憎茲多口。《詩》云：『憂心悄悄，慍於群小[2]。』孔子也。『肆不殄（tiǎn）厥慍，亦不殞厥問[3]。』文王也。」

注釋　1 理：和順。2「憂心」兩句：見《詩經·邶風·柏舟》。悄悄，憂愁的樣子。慍，惱怒。3「不殄」句：見《詩經．大雅．綿》。肆，故，既然。殄，滅盡。厥，代詞，其。問，通「聞」，聲譽。

譯文

貉稽說：「我的口碑很差。」

孟子說：「沒有關係。士人厭惡這種多嘴多舌。《詩經》說過：『愁思重重壓在心，小人視我眼中釘。』孔子是這樣的人。『不能消滅別人的怨恨，也不要失去自己的聲譽。』文王是這樣的人。」

14.20

孟子曰：「賢者以其昭昭，使人昭昭；今以其昏昏，使人昭昭。」

譯文

孟子說：「賢明的人先讓自己對事物清楚明白，再去讓別人明白；如今的人是自己對事物模模糊糊，就去讓別人明白。」

14.21

孟子謂高子曰：「山徑之蹊，間介然用之而成路[1]，為間不用[2]，則茅塞之矣。今茅塞子之心矣。」

注釋　1 間介然：意志專一的樣子。2 為間：隔段兒時間。

譯文　孟子對高子說：「山坡上的小路很窄，專心致志地去走，然後便變成了路；如果隔了段時間不去走，就又會被茅草塞住。現在茅草堵塞你的心了。」

14.22

高子曰：「禹之聲尚文王之聲[1]。」

孟子曰：「何以言之？」

曰：「以追(duī)蠡[2]。」

曰：「是奚足哉？城門之軌，兩馬之力與？」

注釋　1 尚：通「上」，超過。2 追蠡：鐘紐要斷的樣子。追，鐘紐。蠡，欲斷的樣子。

譯文　高子說：「大禹的音樂要勝過文王的音樂。」

孟子說：「為甚麼這樣說呢？」

高子回答說：「因為大禹傳下來的樂鐘，鐘紐都快斷了。」

孟子說：「這怎能足以說明問題呢？城門下面的車轍，難道只是幾匹馬的力量造成的嗎？是因為天長日久車馬經過造成的。大禹的鐘紐快斷了，也是因為時間久遠的關係。」

14.23

齊饑。陳臻曰：「國人皆以夫子將復為發棠[1]，殆不可復。」

孟子曰：「是為馮婦也。晉人有馮婦者，善搏虎，卒為善士。則之野，有眾逐虎。虎負嵎（yú）[2]，莫之敢攖。望見馮婦，趨而迎之。馮婦攘臂下車。眾皆悅之，其為士者笑之。」

注釋 1 發：打開。文中指打開糧倉賑濟百姓。棠：地名，在今山東即墨。2 嵎：山勢曲折險峻的地方。

譯文 齊國發生饑荒。陳臻說：「國中的百姓都以為您會再次勸説齊王打開棠邑的糧倉來賑濟災民，恐怕不能再這樣做了吧。」

孟子說：「再這樣做就成了馮婦了。晉國有個叫馮婦的人，擅長和老虎搏鬥，後來成了一個善人。有一次他到野外去，有很多人在追趕一隻老虎。老虎背依山險，沒有人敢迫近牠。他們望見馮婦來了，就趕緊快步上前迎接他。馮婦捋袖伸臂跳下車來。大家見了都很高興，可是那些士人卻在譏笑他。」

‖14.24

孟子曰：「口之於味也，目之於色也，耳之於聲也，鼻之於臭（xiù）也，四肢之於安佚也，性也。有命焉，君子不謂性也。仁之於父子也，義之於君臣也，禮之於賓主也，知之於賢者也，聖人之於天道也，命也。有性焉，君子不謂命也。」

譯文

孟子說：「口對於美味，眼對於美色，耳對於好聽的聲音，鼻對於芬芳的氣味，手足四肢對於安逸，這些愛好都是天性，但能否得到，要由命來決定，君子不把它們看成是天性所致。仁對於父子，義對於君臣，禮對於賓主，智慧對於賢人，聖人對於天道，能否實現有命的作用，但也有天性的作用，君子不把它們看作是命運的範疇。」

‖14.25

浩生不害問曰：「樂正子何人也？」

孟子曰：「善人也，信人也。」

「何謂善？何謂信？」

曰：「可欲之謂善，有諸己之謂信，充實之謂美，充實而有光輝之謂大，大而化之之謂聖，聖而不可知之之謂神。樂正子，二之中、四之下也。」

譯文　浩生不害問道：「樂正子是甚麼樣的人？」

孟子說：「好人，是個實在人。」

「甚麼算是好？甚麼算是實在？」

孟子回答說：「值得人喜歡便是好；好處確實存在於他自身，便是實在；使那些好處充滿他全身便是美；不但充滿而且能夠光彩奪目地表現出來，便是大；大而又能化育萬物便是聖；聖達到不可測度的境界，便是神。樂正子是處在『好』與『實在』兩者之間，但還沒達到『美』、『大』、『聖』、『神』四者的要求。」

‖14.26

孟子曰：「逃墨必歸於楊，逃楊必歸於儒。歸，斯受之而已矣。今之與楊、墨辯者，如追放豚，既入其苙（lì），又從而招之[1]。」

注釋　1 招：羈絆。

譯文　孟子說：「避開墨子學派的，一定會歸入楊朱學派；避開楊朱學派的，一定會歸入儒家學派。回歸了，就接受他罷了。如今和楊朱、墨翟學派辯論的人，就像追趕走丟了的豬，已經回到豬圈了，還要跟着把牠的腳拴好。」

‖14.27

孟子曰：「有布縷之徵，粟米之徵，力役之徵。君子用其一，緩其二。用其二而民有殍，用其三而父子離。」

譯文 孟子說：「有徵收布帛的稅，有徵收糧食的稅，有徵發人力的稅。君子只採用其中的一種，對於另外兩種，暫不使用。如果同時徵收兩種稅，百姓就會有餓死的；如果同時徵收三種稅，那麼父子就會離散。」

‖14.28

孟子曰：「諸侯之寶三：土地、人民、政事。寶珠玉者，殃必及身。」

譯文 孟子說：「諸侯的寶物有三種：土地、百姓和政治。把珍珠、美玉當作寶物的，災禍一定會降臨到他身上。」

‖14.29

盆成括仕於齊，孟子曰：「死矣盆成括！」

盆成括見殺，門人問曰：「夫子何以知其將見殺？」

曰：「其為人也小有才，未聞君子之大道也，則足以殺其軀而已矣。」

譯文 盆成括在齊國做官，孟子說：「盆成括要死了。」盆成括被殺，學生問道：「您怎麼知道他會被殺？」孟子回答說：「盆成括這個人有點小才智，但還不知道君子的大道理，這就足以招致殺身之禍了。」

14.30

孟子之滕，館於上宮。有業屨於牖上，館人求之弗得。或問之曰：「若是乎從者之廋（sōu）也？」

曰：「子以是為竊屨來與？」

曰：「殆非也。夫子之設科也，往者不追，來者不拒。苟以是心至，斯受之而已矣。」

譯文 孟子到滕國去，住在上宮。有一雙沒編好的草鞋放在窗臺上不見了，旅館裏的人來找，但沒找到。有人問孟子說：「這麼說是您的隨從把草鞋藏起來了吧？」

孟子回答說：「你以為他們是為偷草鞋來的嗎？」

那人回答說：「大概不是。但是，您開設科目，招收學生，走了的不追問，來到的不拒絕，只要懷着求學的心來，就接受他，難免道德水準不一。」

14.31

孟子曰：「人皆有所不忍，達之於其所忍，仁也；人皆有所不為，達之於其所為，義也。人能充無欲害人之心，而仁不可勝用也；人能充無穿窬之心，而義不可勝用也；人能充無受爾汝之實[1]，無所往而不為義也。士未可以言而言，是以言餂（tiǎn）之也[2]；可以言而不言，是以不言餂之也。是皆穿窬之類也。」

注釋

1 **無受爾汝之實**：指不願受別人的輕賤，就要先有不受輕賤的言語行為。「爾」、「汝」是古代漢語中表示輕蔑感情色彩的人稱代詞。2 **餂**：取。

譯文

孟子說：「人人都有不忍心做的事，把這種心推及到他所忍心做的事上，就是仁。人人都有不願做的事，推及到他想做的事上，就是義。人如果能夠把不想害人的心擴展開，那麼仁就會用之不竭了；人如果能夠把不挖洞、跳牆的心擴展開，那麼，義就會用之不竭了；人如果能夠把不受人輕蔑的心理擴展開，就能無論到哪裏，行為都符合義。士人，不可以和他交談，卻去交談，這是用言語試探對方來取利；可以和他交談卻不談，這是用沉默試探對方來取利，這些都是挖洞、跳牆之類的行徑。」

14.32

孟子曰：「言近而指遠者，善言也；守約而施博者，善道也。君子之言也，不下帶而道存焉[1]。君子之守，修其身而天下平。人病舍其田而芸人之田——所求於人者重，而所以自任者輕。」

注釋

1 不下帶：古代注視人，目光不可低於對方的腰帶。文中比喻注意眼前常見之事。帶，腰帶。

譯文

孟子說：「言語淺顯但意義深遠的，是『善言』；所操持的簡約，但成效廣大的，是『善道』。君子的言談，講的都是眼前的事，然而道卻蘊含其中；君子的操守，從修養自身開始，進而使天下太平。人們的毛病在於捨棄自己的田地，而去耕耘別人的田地——要求他人的太多，而對自己的要求卻很少。」

14·33

孟子曰：「堯、舜，性者也。湯、武，反之也。動容周旋中禮者，盛德之至也。哭死而哀，非為生者也。經德不回，非以干祿也。言語必信，非以正行也。君子行法，以俟命而已矣。」

譯文

孟子說：「堯、舜的仁德是天性；商湯和周武王的仁德是經過修身而回復到天性。舉止儀容無不合於禮，這是德行深厚到了極點。哭死者而悲哀，不是為了給活人看的；依據道德而行，不去違禮，不是為了謀求官職。言語一定要真實，不是為了讓人知道行為端正。君子按法度做事，去等待命運的安排罷了。」

14·34

孟子曰：「說大人則藐之，勿視其巍巍然。堂高數仞[1]，榱（cuī）題數尺[2]，我得志，弗為也。食前方丈[3]，侍妾數百人，我得志，弗為也。般（pán）樂飲酒[4]，驅騁田獵，後車千乘，我得志，弗為也。在彼者，皆我所不為也，在我者，皆古之制也，吾何畏彼哉？」

注釋

1 堂高：一般指堂階。2 榱題：亦作「榱提」，本義指屋簷下的椽子頭，文中借指屋簷。3 食前方丈：極言飲食的豐盛。美酒佳餚擺滿眼前一丈見方的所在。4 般樂：大作樂，盡情作樂。般，大。

譯文

孟子說：「遊說諸侯，就得藐視他，不要在意他高高在上的樣子。殿基幾丈高，屋簷幾尺寬，我得志的話，不會這樣做。滿桌的美味佳餚，侍奉的姬妾有幾百人，我得志的話，不會這樣做。盡情飲酒作樂，馳騁射獵，隨從的車輛上千輛，我得志的話，不會這樣做。他所做的，都是我所不做的；我所做的，都是符合古代制度的，我為甚麼要害怕他呢？」

14.35

孟子曰：「養心莫善於寡欲。其為人也寡欲，雖有不存焉者，寡矣；其為人也多欲，雖有存焉者，寡矣。」

譯文

孟子說：「修養心性沒有比減少慾望更好的辦法。他的為人如果慾望少，即使善性有所缺失，也不會失去很多；他的為人如果慾望很多，那麼即使善性有所保存，保留的也不會很多。」

賞析與點評

「養心莫善於寡欲」，這是孟子談論修身養性的經典名言。孟子雖非老子的學生，但與老子提倡「少私寡欲」卻有所呼應。節制非分之慾，有助於保持善良本心，才能集中心思做好該做的事情。「貪如火，不遏則自焚；欲如水，不遏則自溺。」

14.36

曾皙嗜羊棗，而曾子不忍食羊棗。公孫丑問曰：「膾炙與羊棗孰美？」

孟子曰：「膾炙哉！」

公孫丑曰：「然則曾子何為食膾炙而不食羊棗？」

曰：「膾炙所同也，羊棗所獨也。諱名不諱姓，姓所同也，名所獨也。」

譯文

曾皙喜歡吃羊棗，曾子因此便不忍心吃羊棗。公孫丑問道：「炒肉和羊棗比，哪個更好吃？」

孟子說：「炒肉好吃呀！」

公孫丑說：「既然這樣，那麼曾子為甚麼吃炒肉而不吃羊棗？」

孟子回答說：「炒肉是人們的共同愛好，吃羊棗卻是曾皙的獨特喜好。就像避諱，只避名，不避姓，因為姓是大家所共有的，名卻是一個人所獨有的。」

14·37

萬章問曰：「孔子在陳曰：『盍歸乎來！吾黨之小子狂簡，進取，不忘其初。』孔子在陳，何思魯之狂士？」

孟子曰：「孔子『不得中道而與之[1]，必也狂獧（juàn）乎！狂者進取，獧者有所不為也』。孔子豈不欲中道哉？不可必得，故思其次也。」

「敢問何如斯可謂狂矣？」

曰：「如琴張、曾皙、牧皮者，孔子之所謂狂矣。」

「何以謂之狂也？」

曰：「其志嘐（xiāo）嘐然[2]，曰：『古之人，古之人。』夷考其行[3]，而不掩焉者也。狂者又不可得，欲得不屑不絜之士而與之，是獧也，是又其次也。孔子曰：『過我門而不入我室，我不憾焉者，其惟鄉原乎[4]！鄉原，德之賊也。』」

曰：「何如斯可謂之鄉原矣？」

曰：「何以是嘐嘐也？言不顧行，行不顧言，則曰『古之人，古之人。行何為踽（jǔ）踽涼涼[5]？生斯世也，為斯世也，善斯可矣』。閹然媚於世也者，是鄉原也。」

萬子曰：「一鄉皆稱原人焉，無所往而不為原人，孔子以為德之賊，何哉？」

曰：「非之無舉也，刺之無刺也。同乎流俗，合乎污世。居之似忠信，行之似廉絜，眾皆悅之，自以為是，而不可與入堯、舜之道，故曰『德之賊』也。孔子曰：『惡似而非者，惡莠（yǒu），恐其亂苗也；惡佞，恐其亂義也；惡利口，恐其亂信也；惡鄭聲，恐其亂樂也；惡紫，恐其亂朱也；惡鄉原，恐其亂德也。』君子反經而已矣[6]。經正則庶民興，庶民興，斯無邪慝矣。」

注釋

1 中道：無過無不及，中庸之道。2 嘐嘐：志大言大，言行不一。3 夷：疑為語首助詞，無義。4 鄉原：外有謹願之名，實與流俗合污的偽善者。原，也作「愿」。5 踽踽：孤獨的樣子。涼涼：冷冷清清的樣子。6 反經：回歸正道。反，同「返」。經，常道，正道。

譯文

萬章問道：「孔子在陳國時說：『何不回去啊！我鄉里的晚輩們志大、狂放，積極進取，不忘當初的志向。』孔子在陳國，為甚麼思念魯國那些狂放之人呢？」

孟子回答說：「孔子說過，『找不到不偏不倚、合於道義的人相結交，那就只能找狂放者和狷介者了。狂放的人勇於進取，狷介的人有所不為』。孔子難道不想與合於道義的人交友嗎？不能一定得到，所以只能想次一點的了。」

「請問怎樣才可以算是狂放人呢？」

孟子回答說：「像琴張、曾皙、牧皮這樣的人，就是孔子所說的狂放人了。」

「為甚麼說他們是狂放的人呢？」

孟子回答說：「他們志向遠大，口氣也大，總是說，『古時的人，古時的人。』可是考察他們的行為，卻不能與所說的話相符。狂放的人如果又得不到的話，就想得到不屑去做有辱自身之事的人來交友，這種人就是狷介之人，這又次了一等。孔子說：『路過我的家門卻不進到屋裏，我不對此感到遺憾的，恐怕只有鄉里的好好先生吧。鄉里的好好先生，是德行的損害者。』」

「怎樣的人才算是鄉里的好好先生呢？」

孟子回答說：「這種人批評狂放之士說，『為甚麼要志存高遠，口吐狂言呢？言語不顧及行為，行為不顧及言語，就只說古時的人，古時的人』。又批評狷介之士說，『處事為甚麼要特立獨行呢？生在這個世上，就要迎合這個世道，讓別人都說個好就是了』。曲意逢迎，諂媚世人的就是好好先生。」

「全鄉的人都稱他是老好人，到哪裏都被視為老好人，孔子卻認為他是德行的損害者，這是為甚麼呢？」

孟子回答說：「這種人，想指責他卻列舉不出缺點，想責罵他卻找不到由頭，他只是同流合污，平時似乎忠誠老實，處事似乎方正、廉潔，大家都喜歡他，自己以為做得正確，卻與堯、舜之道格格不入，所以說是『德行的損害者』。孔子說：厭惡那種外表相似實質不同的東西：厭惡狗尾草，怕它會混淆禾苗；厭惡歪才，怕它會混淆仁義；厭惡誇誇其談，怕它會混淆誠信；厭惡鄭國的音樂，怕它會混淆雅樂；厭惡紫色，怕它會混淆朱紅色；厭惡鄉里的老好人，怕他會混淆德行。君子只是讓一切都回歸正道罷了。路子對了，百姓就會奮發振作，百姓奮發振作了，也就沒有了邪惡。」

14.38

孟子曰：「由堯、舜至於湯，五百有餘歲。若禹、皋陶，則見而知之；若湯，則聞而知之。由湯至於文王，五百有餘歲。若伊尹、萊朱，則見而知之；若文王，則聞而知之。由文王至於孔子，五百有餘歲。若太公望、散宜生，則見而知之；若孔子，則聞而知之。由孔子而來至於今，百有餘歲，去聖人之世，若此其未遠也，近聖人之居，若此其甚也，然而無有乎爾，則亦無有乎爾。」

譯文

孟子說：「從堯、舜到商湯，有五百多年，像禹、皋陶，是親眼目睹而知道堯、舜之道的；至於商湯，則是聽到傳聞而知道的。從商湯到周文王，有五百多年，像伊尹、萊朱，是親眼目睹而知道的；至於文王，則是聽到傳聞而知道的。從周文王到孔子，又有五百多年，像太公望、散宜生，便是親眼目睹而知道的；至於孔子，則是聽到傳聞而知道的。從孔子以來到現在，有百來年，距離聖人生活的時代不是很遠，距離聖人的家鄉如此接近，卻沒有繼承聖人之道的，那也就不會有繼承人了。」

名句索引

二畫

人不可以無恥。 三〇〇
人之有道也，飽食、暖衣、逸居而無教，則近於禽獸。 一一九
人之所不學而能者，其良能也；所不慮而知者，其良知也。 三〇五
人之所以求富貴利達者，其妻妾不羞也，而不相泣者，幾希矣。 一九九
人之所以異於禽獸者幾希，庶民去之，君子存之。 一八六
人之患在好為人師。 一七一
人有不為也，而後可以有為。 一八二

人性之善也，猶水之就下也。人無有不善，水無有不下。 二四七

人皆有不忍人之心。以不忍人之心，行不忍人之政，治天下可運之掌上。惻隱之心，仁之端也；羞惡之心，義之端也；辭讓之心，禮之端也；是非之心，智之端也。 〇七七

人皆有所不忍，達之於其所忍，仁也；人皆有所不為，達之於其所為，義也。 三四五

三畫

上下交征利而國危矣。 〇〇八

上有好者，下必有甚焉者矣。 一一〇

大人者，言不必信，行不必果，惟義所在。 一八三

四畫

不以規矩，不能成方圓。 一五二

不孝有三，無後為大。 一七三

不為也，非不能也。 〇二〇

不教民而用之，謂之殃民。 二八五

仁，人之安宅也；義，人之正路也。 一六二

仁者如射，射者正己而後發；發而不中，不怨勝己者，反求諸己而已矣。 〇七九
仁者無敵。 〇一五
天子不仁，不保四海；諸侯不仁，不保社稷；卿大夫不仁，不保宗廟；士庶人不仁，不保四體。 一五六
天時不如地利，地利不如人和。得道者多助，失道者寡助。 〇八四
天將降大任於是人也，必先苦其心志，勞其筋骨，餓其體膚，空乏其身，行拂亂其所為。所以動心忍性，曾益其所不能。 二九三
夫義，路也；禮，門也。惟君子能由是路，出入是門也。 二三九
心之官則思，思則得之，不思則不得也。此天之所與我者。 二六五
王顧左右而言他。 〇四五

五畫

以力假仁者霸，霸必有大國；以德行仁者王，王不待大。以力服人者，非心服也，力不贍也；以德服人者，中心悅而誠服也。 〇七三
以五十步笑百步。 〇一一
出於其類，拔乎其萃，自生民以來，未有盛於孔子也！ 〇六六

可以仕則仕，可以止則止，可以久則久，可以速則速，孔子也。乃所願，則學孔子也。　〇六六

可以取，可以無取，取傷廉；可以與，可以無與，與傷惠；可以死，可以無死，死傷勇。　一八八

古之君子，過則改之；今之君子，過則順之。　〇九八

民事不可緩也。　一一二

民之為道也，有恆產者有恆心，無恆產者無恆心。　一一二

民為貴，社稷次之，君為輕。　三三四

民望之，若大旱之望雲霓也。　〇五〇

民歸之，由水之就下，沛然誰能禦之？　〇一六

生於憂患而死於安樂也。　二九三

六畫

如欲平治天下，當今之世，舍我其誰也？　一〇四

有官守者，不得其職則去；有言責者，不得其言則去。　〇九二

有不虞之譽，有求全之毀。　一七一

老吾老，以及人之老；幼吾幼，以及人之幼。 〇二〇

老者衣帛食肉，黎民不飢不寒，然而不王者，未之有也。 〇二二

行有不得者皆反求諸己，其身正而天下歸之。 一五六

七畫

伯夷，聖之清者也；伊尹，聖之任者也；柳下惠，聖之和者也；孔子，聖之時者也。孔子之謂集大成。 二三四

君子不怨天，不尤人。 一〇四

君子之事君也，務引其君以當道，志於仁而已。 二八五

君子之於禽獸也，見其生，不忍見其死；聞其聲，不忍食其肉。是以君子遠庖廚也。 〇一九

君子引而不發，躍如也。中道而立，能者從之。 三三二

君子可欺以其方，難罔以非其道。 二〇五

君子有三樂，而王天下不與存焉。父母俱存，兄弟無故，一樂也；仰不愧於天，俯不怍於人，二樂也；得天下英才而教育之，三樂也。 三〇八

君子所以異於人者，以其存心也。君子以仁存心，以禮存心。仁者愛人，有禮者敬人。

愛人者，人恆愛之；敬人者，人恆敬之。一九三
君子莫大乎與人為善。〇八〇
君子創業垂統，為可繼也。若夫成功，則天也。〇五四
君之視臣如手足，則臣視君如腹心；君之視臣如犬馬，則臣視君如國人；君之視臣如土芥，則臣視君如寇讎。一七九
君仁，莫不仁；君義，莫不義。一八一
君行仁政，斯民親其上，死其長矣。〇五二
我知言，我善養吾浩然之氣。〇六五

八畫

居移氣，養移體，大哉居乎！三一八
庖有肥肉，廄有肥馬，民有飢色，野有餓莩，此率獸而食人也。〇一三
或勞心，或勞力；勞心者治人，勞力者治於人；治於人者食人，治人者食於人，天下之通義也。一一八
所謂故國者，非謂有喬木之謂也，有世臣之謂也。〇四六
於我心有戚戚焉。〇一九

爭地以戰，殺人盈野；爭城以戰，殺人盈城，此所謂率土地而食人肉，罪不容於死。 一六五

知者無不知也，當務之為急； 三三五

非其義也，非其道也。一介不以與人，一介不以取諸人。 二一六

非其道，則一簞食不可受於人；如其道，則舜受堯之天下，不以為泰。 一三六

九至十畫

保民而王，莫之能禦也。 〇一八

春秋無義戰。 三二八

桀紂之失天下也，失其民也。失其民者，失其心也。得天下有道：得其民，斯得天下矣。得其民有道：得其心，斯得民矣。得其心有道：所欲與之聚之，所惡勿施爾也。 一六一

胸中正，則眸子瞭焉；胸中不正，則眸子眊焉。 一六六

十一畫

焉有君子而可以貨取乎？ 〇八九

魚，我所欲也，熊掌，亦我所欲也；二者不可得兼，舍魚而取熊掌者也。生，亦我所欲也，義，亦我所欲也；二者不可得兼，舍生而取義者也。 二五九

惟仁者宜在高位。不仁而在高位，是播其惡於眾也。 一五二

十二畫

堯、舜之道，孝弟而已矣。 二七四

富貴不能淫，貧賤不能移，威武不能屈，此之謂大丈夫。 一三二

尊賢使能，俊傑在位，則天下之士皆悅，而願立於其朝矣。 〇七五

惻隱之心，人皆有之；羞惡之心，人皆有之；恭敬之心，人皆有之；是非之心，人皆有之。
仁義禮智，非由外鑠我也，我固有之也。 二五二

無恆產而有恆心者，惟士為能。若民，則無恆產，因無恆心。苟無恆心，放辟邪侈，無不為已。
明君制民之產，必使仰足以事父母，俯足以畜妻子，樂歲終身飽，凶年免於死亡。 〇二二

順天者存，逆天者亡。 一五八

十三畫

楊氏為我，是無君也；墨氏兼愛，是無父也。無父無君，是禽獸也。 一四四

滄浪之水清兮，可以濯我纓；滄浪之水濁兮，可以濯我足。 一六〇

萬物皆備於我矣。反身而誠，樂莫大焉。 二九九

義之悅我心，猶芻豢之悅我口。　二五四
誠者，天之道也。思誠者，人之道也。　一六三
賊仁者謂之『賊』，賊義者謂之『殘』。殘賊之人，謂之『一夫』。聞誅一夫紂矣，未聞弒君也。　〇四七
頌其詩，讀其書，不知其人，可乎？是以論其世也，是尚友也。　二四二

十四畫

盡其心者，知其性也。知其性，則知天矣。　二九八
盡信《書》，則不如無《書》。　三二九
禍福無不自己求之者。　〇七四
與少樂樂，與眾樂樂，孰樂？……不若與眾。　〇三二
說詩者不以文害辭，不以辭害志。　二〇九

十五畫及以上

樂民之樂者，民亦樂其樂；憂民之憂者，民亦憂其憂。樂以天下，憂以天下，
然而不王者，未之有也。　〇三九
窮則獨善其身，達則兼善天下。　三〇二

緣木而求魚。　〇一一

養心莫善於寡欲。　三四八

學問之道無他，求其放心而已矣。　二六二

獨樂樂，與人樂樂，孰樂？……不若與人。　〇三二

雖有天下易生之物也，一日暴之，十日寒之，未有能生者也。　二五八

雖有智慧，不如乘勢；雖有鎡基，不如待時。飢者易為食，渴者易為飲。　〇六〇

簞食壺漿以迎王師。　〇四九

權，然後知輕重；度，然後知長短。　〇二〇